EL ARTE DRAMÁTICO DE ANTONIO BUERO VALLEJO

JOSÉ RAMÓN CORTINA

EL ARTE DRAMÁTICO DE ANTONIO BUERO VALLEJO

EDITORIAL GREDOS, S. A.
MADRID

EDITORIAL GREDOS, S. A.
Sánchez Pacheco, 83, Madrid. España.

Depósito Legal: M. 24399 - 1968.

Gráficas Cóndor, S. A., Sánchez Pacheco, 83. Madrid, 1969. — 3193.

INTRODUCCIÓN

Cuando un escritor ha establecido su criterio con relación a una creencia, opinión o concepto, tiene que encontrar una fórmula para presentar sus ideas en una forma determinada. Pero para el dramaturgo moderno este problema no es fácil de resolver, porque tiene a su disposición un sinnúmero de estilos y técnicas; se encuentra rodeado de los numerosos "ismos" con que han poblado la escena los dramaturgos experimentales modernos. Como ha dicho Eric Bentley: "Each time a work is written a proper form has to be found. Form is a fluid but not an arbitrary thing. It corresponds to the mind of the artist, which in turn is in part molded by place and time" [1].

Buero Vallejo, sin duda, ha tenido que enfrentarse con este problema cada vez que ha escrito una pieza teatral. Y debido a estar siempre buscando la verdad de las cosas, ha experimentado continuamente con diversas formas de expresión. Puede verse, sin embargo, que determinados ele-

[1] "Cada vez que se escribe una obra hay que encontrarle su forma adecuada. La forma es algo fluido, pero no arbitrario. Tiene relación con la mente del artista, la cual, a su vez, está moldeada en parte por el lugar y la época". *The Playwright as Thinker* (Cleveland y New York, 1965), pág. 2.

mentos formales son usados constantemente en su creación artística.

La crítica dramática, considerada generalmente, consiste en descubrir lo que el dramaturgo trata de decir en sus obras y en analizar el método utilizado para dar forma dramática a su mensaje. La presente monografía está dedicada al análisis de estos dos aspectos de las obras de Buero, conjuntamente con un estudio de sus ideas sobre la tragedia.

El trabajo comenzará con un capítulo donde se sitúa al dramaturgo dentro de su época literaria. A continuación expondremos su concepción de la tragedia. Luego seguirá el estudio de los temas de las obras [2], y de la técnica dramática.

Según George Pierce Baker, la técnica de un dramaturgo puede considerarse como "his ways, methods, and devices for getting his desired ends" [3]. Lo que Baker llama "device" podríamos traducirlo como recurso, y por ello entendemos lo que en una obra dramática es utilizado para alcanzar un determinado efecto. Por consiguiente, nuestro estudio de la técnica dramática sólo comprenderá los recursos más importantes usados por Buero, que a nuestro entender son los siguientes: simbolismo, ironía, contraste de personajes, y elementos físicos y ambientadores.

Otros aspectos técnicos que se encuentran en casi toda pieza dramática, como exposición, clímax, desenlace, sistema de caracterización, etc., no serán estudiados, por estimarse que son resultados naturales del género y no dan mucha luz sobre lo que se tratará de establecer. Un ejemplo

---

[2] *El terror inmóvil* no será incluida en nuestro trabajo, ya que sólo se ha publicado hasta ahora un fragmento y tampoco se ha representado. Además, Buero no la incluye entre sus obras cuando las cita en una carta personal.

[3] "Las vías, métodos y recursos empleados para conseguir su meta". *Dramatic Technique* (Boston y New York, 1919), pág. 1.

ilustrará lo que se ha dicho: Toda obra teatral tiene personajes, los cuales tienen que ser caracterizados de alguna manera. De ser el propósito de este capítulo estudiar exhaustivamente todo el método dramático de Buero, habría que incluir el estudio de su sistema de caracterización. En su lugar se analiza el contraste de personajes como efecto especial.

El estudio estará específicamente orientado a establecer lo siguiente:

a) Cuál es la teoría dramática de Buero.
b) Si la ha seguido en sus dramas.
c) Cuáles son sus recursos técnicos principales y qué uso hace de ellos.
d) Si ha evolucionado como dramaturgo.
e) En qué consiste la esencia de su arte dramático.

Por ser Buero un dramaturgo que empezó a escribir muy recientemente (su primera obra fue estrenada en 1949), no abundan los extensos análisis críticos de sus obras. Martha Halsey le ha consagrado su tesis doctoral (*The tragedies of Antonio Buero Vallejo*, Ohio State University, 1964, sin publicar). Algunos críticos como Rodríguez-Castellano, Pérez Minik, Isabel Magaña de Schevill, Manzanares de Cirre, Lott, y otros, han escrito artículos sobre Buero, pero ninguno (con excepción de Beth Noble, que ha estudiado el sonido en algunas de sus obras) ha prestado atención a la técnica dramática de las piezas de Buero.

CAPÍTULO I

EL DRAMATURGO Y SU ÉPOCA

En el siglo XIX había decaído tanto el teatro español que las piezas de José Echegaray, un dramaturgo de segunda categoría, eran consideradas como lo mejor de la producción dramática del siglo [1]. En realidad, sólo Benito Pérez Galdós trajo aires renovadores al teatro con obras como *La loca de la casa*, *La de San Quintín*, *Doña Perfecta* y *El abuelo* [2].

Entre los escritores de "la generación del noventa y ocho", que tan fuertemente atacaron las obras de Echegaray, sólo hubo uno, Jacinto Benavente, que dedicara principalmente sus esfuerzos creadores al teatro. Con piezas como *El nido ajeno*, *La malquerida*, *Rosas de otoño*, *Los intereses creados*, *Señora ama*, *La noche del sábado* y otras, elevó el nivel de la escena española [3].

Este teatro satírico y psicológico tuvo su contraparte en las obras cómicas y sentimentales de Joaquín y Serafín

---

1 Emiliano Díez-Echarri y José María Roca Franquesa, *Historia de la literatura española e hispanoamericana* (Madrid, 1960), págs. 1028-1031.

2 Emilio González López, *Historia de la literatura española. La edad moderna (siglos* XVIII *y* XIX*)* (New York, 1965), págs. 459-466.

3 M. Romera-Navarro, *Historia de la literatura española* (Boston, 1949), páginas 636-640.

Álvarez Quintero, los cuales dieron nueva vida al género chico [4]. Pero hacia 1920 empezó a notarse la influencia del barato teatro de astracán de Pedro Muñoz Seca y la legión de sus imitadores. Los sainetes de Carlos Arniches, quien produjo piezas frescas y espontáneas al principio de su carrera, sufrieron el mismo destino [5]. Aunque algunos dramas éticos y jurídicos de Manuel Linares Rivas tuvieron éxito, tales como *La garra* y *El caballero lobo,* no representaron una contribución de importancia [6]. Y el teatro de Gregorio Martínez Sierra estuvo a menudo al borde de un sentimentalismo dulzón [7].

En esos años España tenía un autor de verdadera calidad cuyas obras fueron incomprensiblemente ignoradas: Ramón del Valle-Inclán, quien todavía pudo representar algunos dramas como *La marquesa Rosalinda* y *Voces de gesta.* Pero su mejor teatro, el de las comedias bárbaras y los esperpentos, quedó relegado a los libros como simple "literatura". Las piezas valleinclanescas, conjuntamente con las de Azorín, Grau y Unamuno (aunque estas últimas de inferior calidad), fueron legítimas creaciones de la dramaturgia española y hubieran dado prestigio y dignidad a la escena del período, pero infortunadamente no encontraron directores que quisieran salirse de la rutina del teatro comercial de la época [8].

En 1920, hizo su aparición Federico García Lorca en el panorama del teatro español. Su fantasía poética, *El malefi-*

---

4 Aubrey F. G. Bell, *Contemporary Spanish Literature* (New York, 1928), págs. 180-184.

5 Alfredo de la Guardia, *García Lorca, persona y creación* (Buenos Aires, 1941), pág. 204.

6 Bell, págs. 178-179.

7 Ángel del Río, *Historia de la literatura española* (New York, 1963), II, 28.

8 De la Guardia, pág. 205.

cio de la mariposa, fue representada en el teatro Eslava de Madrid, el 22 de marzo de 1920, dirigida por Gregorio Martínez Sierra [9]. Lorca dio categoría y renombre mundial al teatro español con obras como *Yerma, Bodas de sangre, La zapatera prodigiosa,* etc., pero por desgracia murió trágicamente en 1936 poco después de haber terminado la que algunos consideran su mejor obra: *La casa de Bernarda Alba.*

En 1934, un concurso dramático del Ayuntamiento de Madrid produjo la aparición de un nuevo dramaturgo de altos vuelos cuando Alejandro Casona decidió participar enviando una obra que había escrito cinco años antes: *La sirena varada.* Con ella ganó el premio "Lope de Vega" [10], estrenada pocos meses después en el Teatro Español de Madrid por la compañía Xirgu-Borrás. A *La sirena varada* siguieron otras obras importantes, como *Nuestra Natacha, La barca sin pescador* y *La dama del alba,* con las cuales cobró nuevo vigor y empuje la escena española. Después de la interrupción provocada por la guerra civil, y quince años después de que *La sirena varada* obtuviera el premio "Lope de Vega", otro dramaturgo extraordinario —desconocido hasta entonces— consigue ganar dicho premio con *Historia de una escalera,* representada en el Teatro Español de Madrid el 14 de octubre de 1949 [11], y con ello empieza la carrera de quien muchos consideran el más importante dramaturgo de la época actual en España: Antonio Buero Vallejo.

---

[9] Robert Lima, *The Theatre of García Lorca* (New York, 1963), página 55.

[10] Alejandro Casona, *La dama del alba,* ed. Juan Rodríguez-Castellano (New York, 1947), pág. XIII.

[11] José Sánchez, ed., *Historia de una escalera,* por A. Buero Vallejo (New York, 1955), pag. XI.

Buero Vallejo nació el 29 de septiembre de 1916 en Guadalajara [12]. De niño su principal diversión era jugar al teatro, lo que él llama: "el más fascinador juego de mi vida". Antonio y sus amigos construían escenarios con cajas de madera, así como actores hechos de cartón. Con ellos recreaban cuentos y leyendas populares. Eran, como dice Buero: "maravillosas historias [...] que me hicieron dramaturgo, aunque no me enterase de ello hasta muchos años después" [13].

En 1934 se matriculó en la Escuela de Bellas Artes de Madrid, después de graduarse de bachiller en Guadalajara. Debido a la guerra civil tuvo que interrumpir sus estudios, para servir como enfermero del lado de la República. Acabada la contienda, es condenado a muerte por sus actividades políticas, sentencia conmutada por la de prisión, que sufrió durante más de seis años.

Cuando recobró la libertad, volvió a dedicarse de lleno a la pintura, pero, según él, la abandonó porque "la mano, poco ejercitada, no sabía ir por donde el cerebro quería, y el cerebro quería Velázquez" [14]. A pesar de estas palabras, tan características de su modestia, fue considerado por los críticos como un pintor que prometía [15].

Las aventuras pictóricas de Buero aparentemente no fueron sino pasos previos de indagación, de investigación. De lo externo y visual, del conocimiento del hombre y sus cosas, pasaría más tarde el artista a la exploración del significado interno, profundo y metafísico, de la realidad. Como él dice: "Mi teatro es respuesta a esas permanentes pregun-

---

[12] *Ibid.*, pág. X.

[13] Juan del Sarto, "Pasado, presente y porvenir del escritor en España", *Correo Literario*, III, LII (1952), pág. 3.

[14] Sánchez, págs. X-XI.

[15] *Idem.*

tas acerca del mundo y de la vida que me acompañan" [16].

Su primera publicación fue un estudio crítico de Gustavo Doré: *Gustavo Doré: Estudio crítico-biográfico,* que apareció en 1949, en el libro *Viaje a España,* del Barón Charles Davillier [17]. En el mismo año ganó el premio "Amigos de los Quintero" con su pieza en un acto *Las palabras en la arena* [18] y el premio "Lope de Vega" con *Historia de una escalera.* A partir de esa fecha Buero ha estrenado doce obras más, que en su mayoría han recibido cálidos elogios tanto del público como de los críticos. Igualmente ha visto llevadas a escena sus traducciones y adaptaciones: primero del *Hamlet* y luego de *Madre Coraje y sus hijos,* de Brecht. En el presente año de 1968 ha estrenado *El tragaluz* con éxito total.

Debido probablemente a que Buero, como dice Juan Rodríguez-Castellano, "ha despreciado el éxito económico [...], no ha hecho concesiones ni se ha sometido a las exigencias de conveniencia que requiere el ambiente español" [19], así como a su asociación con la República y a que jamás ha apoyado el régimen de Franco, se advierte desde el principio de su carrera cierta hostilidad oficial tanto hacia él como hacia su teatro. A pesar de esta crítica y oposición basada en razones que no son puramente literarias ni teatrales, Buero ha sido considerado, en términos generales, como un autor sincero y honrado que se ha mantenido fiel a sus principios: "Hagamos los autores un sincero teatro donde la vida, las inquietudes, pesimismo y esperanzas que

---

16 Citado por Rosendo Roig, "Talante trágico del teatro de Buero Vallejo", *Razón y Fe,* CLVI (1957), pág. 363.

17 Madrid, 1949, págs. 1379-1508.

18 Sánchez, págs. X-XI.

19 Juan Rodríguez-Castellano, "Un nuevo comediógrafo español: A. Buero Vallejo", *Hispania,* XXXVII (1964), pág. 23.

nos rodean muestren su verdadera cara sin afeites" [20]. El teatro no es para él una función literaria sino un imperativo anímico, como dice Roig [21]. Representa un anhelo personal de entender la esencia última de la realidad. Su propósito es, de acuerdo con José Luis Abellán, no exclusivamente "entretenernos, instruirnos o convertirse en testimonio acusador de una situación social [...], sino de aclararnos el fondo último del hombre y de la vida" [22].

[20] Buero Vallejo, "El teatro como problema", *Almanaque de teatro y cine* (1951), pág. 58.

[21] Roig, pág. 364.

[22] José Luis Abellán, "El tema del misterio en Buero Vallejo", *Insula,* XVI, CLXXIV (1961), pág. 15.

CAPÍTULO II

CONCEPTO DE BUERO SOBRE LA TRAGEDIA

Las ideas de Buero sobre la tragedia, así como sobre el teatro en general, están expuestas en varios ensayos, fundamentalmente en uno que aparece en *Teatro. Enciclopedia del arte escénico,* libro editado por Guillermo Díaz-Plaja y publicado en Barcelona en 1958.

Jacques Copeau, el famoso hombre de teatro francés, dijo en una ocasión, refiriéndose a las fórmulas teatrales:

> quelles que soient nos préférences avouées comme connaisseurs et comme critiques, notre direction personnelle comme écrivains, nous ne représentons pas une école. [...] C'est en quoi nous nous distinguons des entreprises qui nous ont précédés. [...] Nous ne sentons pas le besoin d'une révolution. [...] Nous ne croyons pas à l'efficacité des formules esthétiques [1].

---

1 "Cualesquiera que sean nuestras preferencias declaradas como expertos y como críticos, nuestra dirección personal como escritores, no representamos una escuela. [...] En eso nos distinguimos de las instituciones que nos han precedido. [...] Nosotros no creemos en la eficacia de las fórmulas estéticas". Citado por Clément Borgal, *Jacques Copeau,* Paris, 1960, página 91.

Buero Vallejo adopta un criterio similar. Para él, si se quiere definir lo que es tragedia, no es posible llegar a conclusiones formulistas. Lo importante no es la forma, sino el sentido o intención. Refiriéndose a sus propias obras, dice: "Si intentan ser tragedias, lo intentan ser por su último sentido, no por su forma" [2]. Y lo que él considera la esencia de la tragedia hay que buscarlo en el viejo concepto aristotélico de la catarsis.

Para Buero, la catarsis es un perfeccionamiento espiritual [3], porque el efecto de la tragedia es sublimar las emociones de miedo y piedad, convirtiéndolas en actitudes elevadas del hombre, en "compasión reflexiva [...] y terror sagrado" [4].

Buero da una importancia suprema a la belleza estética, que puede ser más expresiva que la propia razón. La catarsis puede provocar en el hombre el vivo deseo de luchar, no porque la tragedia le ofrezca un ejemplo donde pueda verse el resultado de una actuación, o porque contenga una moraleja, sino "por directa impresión estética y no discursiva" [5]. Colocándose en una posición abiertamente en contra de los dramaturgos con programa político, dice que aunque muchas tragedias modernas causen en el espectador un deseo de actuar en el campo de la política, este deseo no es estéticamente catártico, por lo que dejan de ser tragedias para convertirse en teatro de propaganda.

El destino trágico es considerado por Buero casi en su totalidad como una creación del hombre. No puede ser de esencia arbitraria, porque de serlo, produciría como reacción un sentimiento de angustia, teniendo como corolario que

[2] Buero Vallejo, "Sobre la tragedia", *Entretiens sur les lettres et les arts*, XXII (1963), 53.
[3] *Ibid.*, pág. 66.
[4] *Ibid.*, págs. 66-67.
[5] *Idem.*

la única solución es el estoicismo [6]. La tragedia no presenta la realidad en que vivimos como algo ilógico, absurdo. Precisamente es su propósito encontrar un sistema en el mundo, una razón para su existencia. Buero llama "substratos conceptuales y emotivos de la tragedia" a la obra de autores existencialistas modernos, debido a que ellos expresan miedo a la posibilidad de que este mundo no tenga sentido [7].

La tragedia tiene que producir en el espectador un estado de profunda preocupación por el problema del hombre y su existencia. Buero cita *Espectros* de Ibsen, como ejemplo de una tragedia moderna que muestra la lucha del hombre por encontrarse a sí mismo y por tratar de encontrarle un significado a la vida [8]. La tragedia tiene un carácter ético porque es "la forma más auténtica para conmover [...] al espectador [...], para interesarle por el insondable dolor humano" [9].

Lo que la tragedia ha tratado en definitiva de demostrar, desde los tiempos de la Grecia clásica, es, según Buero, que los sufrimientos del hombre no son más que consecuencia de sus errores: "Se nos ha enseñado desde Esquilo que el destino no es ciego ni arbitrario, y que, no sólo es, en gran parte, creación del hombre mismo, sino que, a veces, éste lo domina. La tragedia escénica trata de mostrar cómo las catástrofes y desgracias son castigos —o consecuencias automáticas, si preferimos una calificación menos personal— de los errores o excesos de los hombres" [10].

---

6 "La tragedia", *El teatro. Enciclopedia del arte escénico,* ed. Guillermo Díaz-Plaja (Barcelona, 1958), pág. 69.

7 *Ibid.,* págs. 67-69.

8 *Ibid.,* pág. 68.

9 Buero, "Comentario" a *En la ardiente oscuridad,* 1.ª ed., Colección Teatro n.º 3 (Madrid, 1951), pág. 83.

10 Buero, "La tragedia", *El teatro. Enciclopedia del arte escénico,* página 69.

Pero la actuación del hombre es un fenómeno tan sumamente complejo, añade Buero, que el escritor trágico no trata de explicarlo de una manera racional. El orden moral en que está basada la tragedia es de naturaleza enigmática: "La tragedia —el género más moral— no es una lección moral o, por lo menos, no lo es exclusivamente. Es tan sólo, y ya es bastante en ese sentido, una aproximación positiva a la intuición del complicadísimo orden moral del mundo. Pero este orden es misterioso; en última instancia encierra una metafísica no formulada" [11]. Y dado que el hombre a menudo se ve impedido de entender cabalmente este orden moral, la tragedia tiene que desembocar en definitiva en un artículo de fe. Consiste en llevarnos a creer que la catástrofe está justificada y tiene su sentido, aunque no podamos entenderlo: "El absurdo del mundo tiene muy poco que ver con la tragedia como último contenido a deducir, aunque tenga mucho que ver con ella como apariencia a investigar" [12].

Buero entiende la tragedia como un conflicto entre libertad y necesidad, entre "hombre y naturaleza, entre individuo y colectividad, entre ser humano y ser humano; la tensión del hombre consigo mismo para realizarse y el concierto una vez realizado; la tensión o el concierto, finalmente, del hombre con lo absoluto" [13]. Pero esta lucha que la tragedia presenta entre libertad y necesidad no termina invariablemente con el triunfo de ésta sobre aquélla. Buero cita varios ejemplos, de obras tanto griegas como modernas, donde se prueba que la tragedia no implica necesariamente un obstáculo que el hombre no pueda superar, ya que todas ellas tienen un final conciliatorio, sobre todo *Ifigenia en*

---

11 *Ibid.*, pág. 71.

12 *Idem.*

13 *Ibid.*, pág. 85.

Táuride, con las palabras del coro final, llenas de alegría exaltadora: "¡Marchad, dichosos por haberos salvado la vida un destino propicio! ¡Oh, tú, venerable entre los inmortales y los mortales, Palas Atenea! Haremos lo que ordenas. ¡Cuán dulce e inesperada es la noticia que han escuchado mis oídos! ¡Oh Victoria veneradísima, acompáñame toda la vida y nunca dejes de coronarme!" [14].

Además, dice Buero, las trilogías griegas, verdaderos ciclos donde se desarrolla toda una historia, daban comienzo con un acto de propia voluntad realizado por uno de los antecesores del héroe, y daban fin con un acto similar llevado a cabo por este último. El ciclo trágico, "provocado por un acto libre que se fijaba por lo general en la historia remota de algún antecesor, terminaba por otro acto libre que reparaba los males desencadenados y disolvía el hado" [15].

El conflicto entre necesidad y libertad es a menudo resuelto en forma positiva cuando el héroe, ennoblecido por la experiencia catártica, empieza a "desconfiar de la inexorabilidad del hado y a esperarlo todo de su propia capacidad rectificadora" [16].

Para Buero, el meollo de la tragedia es la esperanza, la cual puede desdoblarse en dos: solución vital a los problemas del hombre y justificación metafísica del mundo: "Ofrece la esperanza, eso sí, una doble vertiente clara: la esperanza en la justificación metafísica del mundo y la esperanza en la solución terrenal de los dolores humanos. Por una de las dos vertientes suele orientarse la tragedia y, en ocasiones, por las dos al mismo tiempo; buen indicio de que su aparente disparidad y hasta su eventual condición de enemigas se apoyan tal vez en identidades profundas.

[14] *Ibid.,* pág. 72.
[15] *Idem.*
[16] *Ibid.,* pág. 73.

Sea como sea, la esperanza las unifica, y es cualidad siempre positiva que confirma la función positiva de la tragedia" [17].

Esta esperanza abarca tanto la fe como la duda, porque la tragedia formula preguntas acerca del hombre y su destino, pero, salvo en contados casos, no ofrece respuestas concretas y explícitas: "Lo que la tragedia plantea [...] es [...] la condición humana de la duda y la fe en lucha, en la que ellas mismas se apoyan. Condición permanente, sin la que las más resueltas creencias no podrían existir ni menos adquirir importancia, y de cuyo eterno juego entre fe y duda, con su eterna resultante de esperanza, brota a su vez la permanente revitalización de toda fe, su constante salvación del anquilosamiento y su pertinaz replantamiento en el alma del hombre como conflicto vivo y no como fórmula muerta" [18].

Hay dramaturgos que expresan su desesperación porque carecen de confianza. Pero esa desesperación no es más que "la cara negativa de la esperanza". Tener esperanza es "una tensión del hombre, un modo de ser humano". Y el objetivo de la tragedia es presentar esta tensión como tal, ya sea probable o improbable su realización [19].

Por otra parte, esta tensión puede convertirse en una sensación de calma "cuando alcanzamos a ver [...] que desesperación y esperanza son sólo grados, o caras falaces, de algo grandioso e inmutable que está más allá de todas las tragedias, pero a lo que sólo por ellas podemos arribar" [20].

Buero no considera la tragedia como pesimista, puesto que es un medio para encontrar la verdad acerca del hombre

---

17 *Ibid.*, pág. 76.

18 *Idem.*

19 Buero, "Comentario" a *Hoy es fiesta,* 1.ª ed., Colección Teatro n.º 176 (Madrid, 1957), pág. 100.

20 *Ibid.*, págs. 100-101.

y su destino. Cuando hay pesimismo en ella, es de índole provisional "por el que se pretenden trazar sobre bases más ciertas los caminos positivos del ser humano" [21]. La tragedia, aunque los grandes escritores trágicos, como Ibsen, Pirandello, O'Neill, etc., hayan sido acusados de pesimistas y destructores, "representa, en el terreno del arte, un heroico acto por el que el hombre trata de comprender el dolor y se plantea la posibilidad de superarlo sin rendirse a la idea de que el dolor y el mundo que lo partea sean hechos arbitrarios" [22].

Ante el ataque directo a sus obras como pesimistas, Buero ha respondido negándolo abiertamente: "El autor joven no puede ser, ni biológica ni socialmente, pesimista. Vive, por definición, la edad de la ilusión o el optimismo [...] bien alejada del cínico descreimiento en la vida y su nobleza" [23].

No es la tragedia, dice Buero, la que es pesimista, sino el "teatro de evasión", porque éste, al proponer como solución la huida, le está negando sentido a la vida [24]. Y precisamente lo que busca la tragedia es el significado de ésta: "No hay pesimismo más radical que el de dar por segura la falta de sentido del mundo; y no hay género teatral que más pertinazmente lo busque [...] cuando no lo afirma [...] que el trágico" [25]. La tragedia trata de demostrar que "las cosas del mundo nunca tienen una sola perspectiva, sino

21 Buero, "La tragedia", *El teatro. Enciclopedia del arte escénico*, página 75.

22 *Idem.*

23 Buero, "Lo trágico", *Informaciones*, 2 de febrero de 1952.

24 *Idem.*

25 Buero, "La tragedia", *El teatro. Enciclopedia del arte escénico*, página 75.

varias" [26]. Y puede ofrecer "una simultánea multitud de significados dispares" [27].

A los que critican esta actitud responde categóricamente: "Tras esas objeciones se esconde una propensión al esquematismo y la simplicidad sumamente peligrosa para el teatro, y el ejemplo que nos brinda hasta la saciedad la mejor dramaturgia de todos los tiempos la desautoriza sin ninguna duda" [28].

Buero está en desacuerdo parcialmente con las teorías de Brecht, quien trata de conseguir en sus obras lo que él llama "distanciamiento" (*Verfremdung*), a fin de que el espectador no se identifique con los personajes. Buero, como se ha visto, considera la catarsis, que es fundamentalmente emocional, como elemento básico de toda tragedia. Para él, los mejores dramas de Brecht son precisamente aquellos en los cuales hay una unión emocional entre el espectador y la obra [29].

Brecht pone suma importancia en la fuerza dialéctica del drama, y niega que pueda ser un "vehículo de conocimiento [...] atenido a intuiciones no racionalizables". Este "reconocimiento racionalizado", señala Buero, no es producto de la pieza dramática, sino un principio que proviene de una doctrina sociológica determinada. Si el arte es un "vehículo de conocimiento", "no puede regateársele su condición intrínseca de explorar con medios propios" [30].

La tragedia moderna está más cerca de la tragedia clásica de lo que se supone. Algunos requisitos de esta última,

---

26 Buero, "Comentario" a *Irene o el tesoro*, 1.ª ed., Colección Teatro n.º 121 (Madrid, 1955), pág. 123.

27 Buero, "Comentario" a *Hoy es fiesta*, pág. 101.

28 Buero, "Comentario" a *Irene o el tesoro*, pág. 124.

29 Buero, "A propósito de Brecht", *Insula*, XVIII, CC-CCI (julio-agosto, 1963), págs. 1, 14.

30 *Idem*.

como la nobleza de los personajes y el lenguaje elevado, los cuales han sido abandonados por la tragedia moderna, no eran, incluso para los griegos, elementos primordiales [31]. Pero el uso del coro, las máscaras y la música, "las tres formas fundamentales de la tragedia antigua", son todavía elementos de importancia en la tragedia moderna, como puede verse en el coro de *Yerma,* las máscaras de *Seis personajes en busca de autor* y la música de las tragedias de Brecht [32].

Además, desde el siglo XIX la tragedia ha vuelto a una construcción basada en las unidades clásicas. Puede verse, sin embargo, una tendencia creciente hacia un teatro de estructura panorámica que Buero llama de "forma abierta" (en contraposición con el de "forma cerrada"), el cual tiene las siguientes características: "la simultaneidad en la escena de lugares de acción no simultáneos en la realidad, alternativa rápida de estos lugares o indefinida sucesión en cuadros, multiplicidad de acciones secundarias y discontinuidad temporal sin trabas" [33].

Buero estima peligrosa esta tendencia a utilizar una estructura panorámica porque se adopta, no por una necesidad interna, sino por el deseo de atraer al teatro al público de cine, lo cual ha provocado que se imiten en aquél técnicas de éste, como la construcción basada en escenas cortas, cambios rápidos de escenario, determinados efectos plásticos, etcétera [34]. Buero considera esto como erróneo, porque necesariamente el público establecerá comparaciones y al encontrar superior el arte del cine, demandará en consecuencia

---

31 Buero, "La tragedia", *El teatro. Enciclopedia del arte escénico,* página 78.

32 *Ibid.,* pág. 82.

33 Buero, "Comentario" a *Madrugada,* 1.ª ed., Colección Teatro n.º 96 (Madrid, 1954), pág. 84.

34 *Ibid.,* págs. 85-86.

que el teatro se vuelva aún más cinematográfico [35], lo que acarreará su fin como arte independiente.

Los dramaturgos de hoy tienen que tomar en consideración la existencia del cine como una forma artística especial. La solución que da Buero para que el teatro pueda vencerlo es la siguiente: "El cine está ahí, lo que significa que, si el teatro pretende ganar su batalla [...] tendrá que hacerlo utilizando sus medios más puros: el diálogo, la construcción realista que acepta y no elude la presentación de la vida mediante 'actos' condensados en trechos de tiempo continuos y las limpias fuerzas de la acción que tales trechos permiten o pueden sugerir" [36].

De la única manera que puede el dramaturgo llegar a dominar la técnica de la dramaturgia es construyendo obras de estructura concentrada. Añade Buero que las piezas con carencia de forma sirven a menudo para disfrazar la ineptitud del que empieza [37].

Buero se opone también al uso excesivo de efectos plásticos, los cuales considera que están inspirados en la técnica cinematográfica. Cree que estos efectos "son cosas gratas al principiante y como recursos del teatro no me parecen, en general, buenos" [38], porque el cine es "el arte de la imagen", y el teatro es "el arte de la palabra" [39].

Pero no debemos considerar a Buero por esto como un dramaturgo dogmático que sigue un criterio único e inflexible con respecto a fórmulas teatrales, ya que él acepta (aparte de que ha reconocido en carta personal no publicada

---

35 *Idem.*

36 *Idem.*

37 *Idem.*

38 Buero, "A propósito de *Aventura en lo gris*", *Teatro,* IX (septiembre-diciembre, 1953), 39.

39 Buero, "Comentario" a *Madrugada,* pág. 85.

que hoy matizaría mucho estos criterios), como hemos dicho antes, la validez de todas ellas. Para Buero, lo que constituye la tragedia es su esencia, que es "El problema de la esperanza trágica" [40]. Debido a este enfoque, la tragedia no es para él una creación puramente artística. Debe tener, además, un ideal filosófico: el de tratar de encontrarle solución a los problemas del hombre a través de este vehículo *sui-generis* de conocimiento. Y por estar éste basado fundamentalmente en la intuición y el impacto emocional, más bien que en el pensamiento lógico, cualquier sistema tiene posibilidades de idoneidad.

---

[40] Título de una conferencia dada por Buero en la Universidad de Illinois el 26 de abril de 1966.

CAPÍTULO III

ESTUDIO DE LOS TEMAS Y CLASIFICACIÓN CORRESPONDIENTE DE LAS OBRAS

Ya hemos mostrado que, de acuerdo con Buero, toda tragedia se orienta, o bien hacia un polo vital, donde la solución al problema planteado es esencialmente humana, o hacia uno donde la solución es metafísica (Véase la página 21). Sus piezas pueden dividirse de acuerdo con este criterio, si bien la mayoría de ellas pertenecen al grupo vital, y las que se podrían colocar en el segundo grupo tienen, no obstante, muchos elementos del primero. De todas formas, la división es, por necesidad, arbitraria, y hay obras que podrían clasificarse de diversos modos. Pero la hacemos de todas maneras por motivos prácticos al entender que ayuda a la comprensión de las obras consideradas en su totalidad. He aquí la división:

a) Obras que tratan de encontrar una solución vital a los problemas planteados al hombre en su lucha por:

1) desarrollar su personalidad a plenitud:

a) *El concierto de San Ovidio,*
b) *En la ardiente oscuridad;*

2) abrirse paso en la vida, salir de una existencia mediocre:

a) *Historia de una escalera,*
b) *Las cartas boca abajo;*

3) mantener o encontrar la fe:

a) *La señal que se espera,*
b) *Hoy es fiesta;*

4) dilucidar la naturaleza de las relaciones entre hombre y mujer:

a) *Las palabras en la arena,*
b) *Casi un cuento de hadas,*
c) *Madrugada;*

5) ejercer sus deberes para con la sociedad en que vive:

a) *Un soñador para un pueblo,*
b) *Las Meninas,*
c) *Aventura en lo gris.*

b) obras que plantean la posibilidad de que exista una realidad trascendente:

1) *La tejedora de sueños,*
2) *Irene o el tesoro.*

En sus tragedias sobre ciegos: *En la ardiente oscuridad* y *El concierto de San Ovidio,* el tema principal es la lucha del hombre por encontrar un sentido a la vida a pesar de que tiene ante sí un obstáculo que parece imposible de vencer. De encontrarlo, el hombre ha logrado con ello la realización de su personalidad.

La acción de *En la ardiente oscuridad* transcurre en una escuela para ciegos, donde al principio se ve gran alegría y felicidad. Los ciegos hacen deporte, estudian y se casan, llevando con ello una vida que parece normal. Pero en realidad están dando la espalda a la realidad, viviendo en un mundo ilusorio donde su ceguera física simboliza su ceguera espiritual. Precisamente su tragedia es que carecen de esperanza.

A este mundo dominado por Carlos, el cabecilla de los estudiantes, llega Ignacio, un nuevo y distinto ciego, pues es un espíritu rebelde, trágico, no conformista. Para el nuevo alumno la única manera de encontrar sentido a la vida es enfrentándose con ella, aceptando su realidad, por muy dura que parezca. Él es el soñador que no se contenta con las cosas a medias. Lo anhela todo, aunque sea imposible conseguirlo.

Ignacio, con su apasionada posición ante la vida y sus problemas, en este caso el de la falta de visión, ejerce influencia entre todos los que lo rodean, incluso Carlos, aun cuando éste se le opone desde el principio. En una escena que es precisamente la de más alta tensión de la obra, Ignacio consigue comunicar a Carlos su angustia.

La influencia que ejerce Ignacio sobre los estudiantes no es del todo beneficiosa. Al mostrarles lo mentiroso del mundo en que viven, Ignacio está de paso destruyendo la armonía y espíritu de los ciegos, que ya empiezan a discutir entre ellos y a abandonar sus estudios. Se da cuenta del mal que les está causando, pero muestra una total indiferencia con respecto a ello.

La lucha entre Carlos, el escéptico, e Ignacio, el soñador, termina con la muerte de éste a manos de aquél, cuando se da cuenta de que Ignacio está destruyendo la felicidad, real o no, de los ciegos, y de que, asimismo, está socavando la "moral de acero" que hasta ahora era uno de sus fuertes.

Pero el asesinato no lo lleva a cabo Carlos únicamente por salvaguardar la felicidad de sus compañeros. Otro motivo es que ve el interés que siente Ignacio por Juana y la influencia que ejerce sobre ella. Como dice el propio Buero, "Ignacio y Carlos pelean tanto por una mujer como por una idea" [1].

Los dos protagonistas sufren al final un cambio en sus actitudes. Ignacio aprende a querer a sus compañeros, lo cual es simbolizado en su amor hacia Juana; y Carlos, a pesar de que mata a Ignacio, ha quedado impregnado de su anhelo, al extremo de que hace suyas sus palabras, y se convence finalmente de que puede haber otro mundo, simbolizado por las estrellas. Esto se hace evidente en la escena final de la pieza, donde se ve a Carlos repitiendo las palabras que Ignacio dijera antes: "Y ahora están brillando las estrellas con todo su esplendor, y los videntes gozan de su presencia maravillosa. Esos mundos lejanísimos están ahí [...] ¡Al alcance de nuestra vista...! si la tuviéramos" (página 79) [2].

---

1 "Comentario" a *En la ardiente oscuridad*, 1.ª ed., Colección Teatro n.º 3 (Madrid, 1951), pág. 84.

2 Citamos las obras de Buero por las siguientes ediciones:

Historia de una escalera y *Las palabras en la arena*, 5.ª ed., Colección Teatro n.º 10 (Extra) (Madrid, 1964).

En la ardiente oscuridad, 4.ª ed., Colección Teatro n.º 3 (Madrid, 1963).

La tejedora de sueños, 3.ª ed., Colección Teatro n.º 16 (Madrid, 1965).

La señal que se espera, 2.ª ed., Colección Teatro n.º 21 (Madrid, 1959).

Casi un cuento de hadas, 2.ª ed., Colección Teatro n.º 57 (Madrid, 1965).

Madrugada, 2.ª ed., Colección Teatro n.º 96 (Madrid, 1960).

Irene o el tesoro, 2.ª ed., Colección Teatro n.º 121 (Madrid, 1965).

Hoy es fiesta, 2.ª ed., Colección Teatro n.º 176 (Madrid, 1960).

Las cartas boca abajo, 2.ª ed., Colección Teatro n.º 191 (Madrid, 1962).

Un soñador para un pueblo, 2.ª ed., Colección Teatro n.º 235 (Extra) (Madrid, 1965).

Las Meninas, Colección Teatro n.º 285 (Extra) (Madrid, 1961).

Ignacio muere, pero no inútilmente. Su muerte provoca una purificación en el mismo hombre que lo mató y que en adelante no podrá vivir sin un anhelo del que antes carecía. Muestra con ello Buero el lado trágico de la esperanza, que en este caso de Carlos es una esperanza llena de ansiedad.

La pieza *El concierto de San Ovidio* está basada en un hecho histórico: En el año de 1771, un empresario sin entrañas formó una orquesta con un grupo de pordioseros ciegos del Hospicio de los Quince-Veintes, con el fin de dar un concierto cómico-grotesco para entretener al público en la feria de San Ovidio.

David, uno de los ciegos, es el protagonista. Él es un soñador que cifra la realización de sus aspiraciones en el aprendizaje del violín, cosa para la que está naturalmente dotado. Por eso, cuando el empresario Valindin ofrece contratar a seis de los pordioseros del Hospicio para formar una orquesta y tocar en la feria de San Ovidio, trata por todos los medios de aprovechar esta oportunidad que tienen de superarse. Él es, sin embargo, el único que tiene fe en que podrán aprender a conjuntarse como músicos a pesar de que no pueden leer la partitura. Al descubrir el verdadero propósito de Valindin intenta rescindir el contrato, pero tiene que ceder cuando el empresario lo amenaza con maltratar a Donato, un joven ciego a quien David quiere como un hijo, "el que nunca tuvo".

Uno de los ciegos, Nazario, se pliega a los deseos de Valindin sin ver nada malo en ello, pues acepta sus propias limitaciones y se conforma con poca cosa, como comer y

---

El concierto de San Ovidio, Colección Teatro n.º 370 (Extra) (Madrid, 1963).

Aventura en lo gris, Colección Teatro n.º 408 (Extra) (Madrid, 1964).

Para referirnos a las páginas de este estudio, empleamos siempre "véase".

holgazanear. David, por su parte, no se resigna a ser un pordiosero ciego y se opone fuertemente a aceptar una vida que considera afrentosa.

David es un hombre de acción y energía que no trae a sus compañeros tranquilidad y paz, sino guerra y lucha, deseo de superarse. Pero sus esfuerzos son inútiles porque a los otros ciegos les falta su fuerza de voluntad y su fe.

Su conflicto con Valindin termina con la muerte de éste a sus propias manos. Como resultado del crimen, David es condenado a muerte y ejecutado. Pero sus sueños viven en otra gente, sobre todo en Valentín Haüy, quien, al presenciar el grotesco espectáculo de la orquestina de ciegos, decidió dedicar su vida a idear un sistema que les permitiera a los ciegos leer, hecho que está comprobado históricamente [3]. La obra termina con una escena donde Haüy, treinta años más tarde, recuerda el concierto y el efecto que tuvo sobre su vida.

Es de notar que en esta escena Buero muestra la posible influencia de Bertolt Brecht. A pesar de oponerse a su teoría dramática (véase la pág. 24), el dramaturgo español utiliza en *El concierto de San Ovidio* una técnica que se asemeja a la del alemán. Veamos cómo: Brecht tiene dos obras que subtituló "Parábolas para el teatro". En su opinión, como el teatro ha de cumplir una función didáctica, el autor dramático puede elegir un episodio histórico (como en el caso de *Galileo,* basado en la vida del famoso hombre de ciencia) y exponerlo al público para que éste reciba alguna lección. Brecht, además, rechaza la catarsis aristotélica del espectador, producida por lo que se llama en inglés *empathy* (que pudiéramos llamar comunión emocional), y la sustituye por lo que él llama "distancia-

[3] Ian Fraser, "Blindness", *Encyclopaedia Britannica,* 14.ª ed., vol. III.

miento" (*Verfremdung*). O sea, que el dramaturgo no debe dejar que el espectador se identifique plenamente ni con los personajes ni con la acción de la obra. Y esto es precisamente lo que quiere lograr Buero con la escena final de *El concierto de San Ovidio,* extraña a la acción principal, hasta el punto de romper a propósito la cadena de eventos de la obra, pero que, por otra parte, sirve para poner sumo énfasis en el carácter aleccionador de los sucesos.

Aunque David no llegó a ver sus sueños cumplidos, éstos se convirtieron en realidad para las futuras generaciones de ciegos. Debido a la experiencia catártica que sufrió Haüy, se produjo en él un ennoblecimiento que lo llevó a dedicar su vida a luchar por los ciegos. Por tanto, se encuentran en la obra dos de los elementos principales de la tragedia, según Buero: la existencia de una esperanza, que en este caso se cumple años más tarde; y la purificación o catarsis, que conduce finalmente a la invención del sistema Braille.

Tanto *Historia de una escalera* como *Casi un cuento de hadas* son tragedias de abúlicos y fracasados. Los protagonistas de ambas obras, aunque de nivel económico y aspiraciones diferentes, luchan infructuosamente por vencer las circunstancias en que se encuentran, por ascender y llevar a cabo sus ambiciones. Y en las dos la principal razón del fracaso es su abulia, su falta de voluntad, que hace que en vez de tratar de superarse luchando con todos los medios a su alcance, sólo sueñen con hacerlo. Anhelan un futuro mejor, pero no hacen nada para que éste cristalice.

Los protagonistas de *Historia de una escalera* son Fernando y Urbano, que viven en una casa de vecindad. Se refleja en ellos el deseo de abrirse paso en la vida y de superar la sordidez del medio ambiente en que se desenvuelven.

La obra está dividida en tres actos, que corresponden a tres etapas de la vida de las familias que ocupan la casa de vecindad: 1919, 1929 y 1949. En el último la vieja generación es sustituida por una tercera constituida por los hijos de los personajes principales, los cuales tienen las mismas ilusiones de progreso de los padres. La obra termina con Fernando, hijo, describiéndole a Carmina, hija, sus sueños para el futuro, en forma muy parecida a la que Fernando, padre, usara treinta años antes con Carmina, madre.

La monotonía de la vida de los vecinos, así como su abulia, es simbolizada por la escalera, que permanece siempre igual durante treinta años, mientras ellos hablan, discuten y riñen.

Ya hemos visto la importancia que da Buero a la idea de que el hombre tiene libertad para labrarse su propio futuro. A sí m.smo debe culparse si no logra hacerlo. Fernando, que sueña con ser un ingeniero de fama, se pasa el tiempo, como dice su propia madre, "siempre tumbado en la cama, pensando en sus proyectos" (pág. 13). Él es el soñador abúlico que carece de fuerza de voluntad. Al verse derrotado, para sobrevivir apela a la fórmula más fácil, y se casa con Elvira. Urbano fracasa porque no tiene confianza en sí mismo. Él mismo lo declara: "Ya sé que no soy más que un obrero. No tengo cultura ni puedo aspirar a ser nada importante... Así es mejor. Así no tendré que sufrir ninguna decepción, como otros sufren" (pág. 42).

La tragedia termina con una nota de esperanza, aunque dudosa: los hijos quizás puedan vencer ese asfixiante medioambiente representado por la vetusta escalera. Como dice Buero: "Quizá los hijos se salven del fracaso de los mayores o —tal vez— fracasen también" [4].

[4] "Palabra final", *Historia de una escalera*, ed. José Jarnés (Barcelona, 1950), pág. 55.

En *Las cartas boca abajo,* los miembros de una familia se tratan con insinceridad e hipocresía, con lo cual lo único que han conseguido es destruirse mutuamente. De ahí el título de la obra; es precisamente el que ellos eviten volver sus cartas boca arriba —exponer la verdad— lo que ha causado su fracaso en la vida.

Adela, el personaje principal, quiso casarse con Carlos Ferrer, un prometedor intelectual que en principio estaba interesado por Ana, la hermana de Adela. Ésta consiguió arrebatárselo, pero finalmente Ferrer la abandonó. Adela se casó entonces con Juan, un compañero de Ferrer, para demostrar que con su amor podía hacer triunfar a cualquiera. Pero Juan no lo ha logrado; ha perdido oposiciones tras oposiciones y nunca ha llegado a ser catedrático. Ferrer, por su parte, ha alcanzado renombre universal.

Al tener que enfrentarse con una vida mediocre, Adela empieza a crearse ilusiones, a soñar con el amor de Ferrer. La vida alegre que ella quiere es simbolizada por el canto de unos pájaros que se acercan al balcón cada crepúsculo y que son su obsesión: "No son como nosotros: vuelan. Luchan por sus hijos; a veces, caen bajo la garra de sus enemigos... Pero vuelan. Les sobra siempre vida para despedir al sol en medio de una borrachera de cantos. Celebran su fiesta delirante. Son la alegría del aire. El gozo de la vida sin trabas. [...] Son felices... (*El sonoro escándalo de gorjeos invade la habitación durante unos segundos*)" (páginas 29-30).

Juan también sueña: a los cincuenta años se está preparando para unas oposiciones.

Ana, la hermana neurótica de Adela, sueña igualmente con Ferrer pero, al mismo tiempo, no puede olvidar que Adela se lo quitó. Su mudez simboliza la falta de comunicación que existe entre los miembros de la familia, cumpliendo la misma misión que la sordera de Pilar en *Hoy es fiesta*.

Juanito, el hijo de Adela y Juan, es un estudiante universitario a quien la madre ha enseñado a admirar a Ferrer y a despreciar a su padre como mediocre. Por eso quiere irse; para no ser un fracasado como su padre.

Mauro, el hermano de Adela y Ana, va a menudo a verlas. Él también soñó un día, pero hoy se contenta con subsistir malamente, siempre hablando de negocios inexistentes y llevándose objetos de la casa para empeñarlos.

El impacto que produce en Juan perder las oposiciones hace que decida volver finalmente sus cartas boca arriba y hacer que Adela muestre las suyas. Le hace creer a Adela que ha ganado las oposiciones, y así averigua que, tal como sospechaba, ella no quería en realidad que ganara, y que se casó con él para demostrar a Ferrer que con su ayuda cualquier hombre podía llegar lejos. Pero Juan, aunque mediocre, es de noble corazón. Por eso admite que toda su vida ha envidiado a Ferrer, y que esta envidia es la que ha causado su fracaso. La razón por la que no ganó las últimas oposiciones fue que no quiso, por orgullo, leer sus obras.

Debido a la experiencia catártica que ha sufrido, Juan se da cuenta de que debe permitirle a Juanito ir a estudiar fuera. En ello se ven nuevamente los elementos que cita Buero como esenciales de la tragedia: la purificación espiritual que enseña y ennoblece al hombre, y la esperanza, en este caso de que Juanito, evitando los errores de su padre, pueda triunfar.

Por otra parte, aunque Juan ha perdido las oposiciones, ha ganado una victoria espiritual. Por fin ha conseguido ver sus propias cartas y las de su mujer; y, más importante aún, ha recobrado el amor y el respeto de su hijo.

A Adela, sin embargo, el futuro le ofrece solamente sufrimiento y castigo, pues ha perdido, por su egoísmo, el afecto y la consideración de todos. El miedo y terror con que ella se enfrenta con su vida solitaria están simbolizados en el canto de los pájaros, que adquiere ahora un nuevo significado, como aclara Mauro: "Esos no son cantos: son gritos. [...] Gritan de terror. [...] Todo eso que a ti te parecía un delirio de felicidad, es un delirio de miedo... Al cabo del día han tenido tiempo de recordar que están bajo la dura ley del miedo y de la muerte. Y el sol se va, y dudan de que vuelva. Y entonces se buscan, y giran enloquecidos [...] Quieren cantar, y son gritos los que les salen" (pág. 86).

Pero Adela todavía tiene una esperanza; al irse Juanito le dice: "Escucha cómo cantan. [...] Quizá un día podamos todos los de esta casa conocer también esa alegría... Yo volveré para intentarlo" (pág. 87).

En las dos tragedias que se tratarán a continuación: *La señal que se espera* y *Hoy es fiesta,* aunque hay otros temas, como el de la falta de comunicación, el de la lucha por mantener o encontrar la fe es el más importante.

En el argumento de *La señal que se espera* puede verse la sombra de Cervantes, autor que, según ha reconocido Buero en carta personal, ha influido en la concepción de sus obras. Los sucesos de la tragedia guardan cierta similitud con *El curioso impertinente,* novela intercalada en la primera parte del *Quijote.*

Enrique cree que su esposa, Susana, se ha casado con él por su dinero y que a quien ama es a Luis, un antiguo novio, por lo que decide invitar a éste a su casa de veraneo en Galicia a fin de dilucidar sus dudas. Forzando este encuentro, espera asegurarse del amor de su esposa. Luis acepta la invitación porque todavía abriga la esperanza de que Susana lo ame.

Con el permiso de Enrique, Luis, que es compositor, construye en el jardín un arpa eólica [5], la cual espera que milagrosamente suene, como "señal" de que podrá recrear una pieza que ha olvidado y que escribiera para Susana. Cree que no podrá componer otra vez hasta que no la recuerde.

Enrique trata de explicar su conducta de diversas maneras, pero la verdadera razón es su esperanza de que Susana lo quiera. Esta búsqueda de la verdad es una constante lucha entre la duda y la fe, ajustándose a la fórmula trágica bueriana.

Enrique ve sus esperanzas colmadas cuando Susana decide quedarse con él a pesar de su completa ruina económica. Pero ella siente una responsabilidad con respecto a Luis. Por eso se arriesga a que Enrique la interprete erróneamente y toca la melodía.

En Susana predomina la fe. Por eso, al decirle Enrique que se casó con él por su dinero, le responde: "Porque nada de eso es cierto. Porque yo tengo fe y por la fe no llegué a la playa. Sabía que tú lo ibas a interpretar mal, y confiaba, a pesar de todo, en que, algún día..., comprenderás" (página 61). Al tocar el arpa se asegura de que a quien ama es a Enrique, pues al hacerlo pensaba en él.

Además, el triunfo de los personajes principales se debe a la fe que tienen. La duda de Enrique es el lado negativo de su fe. Por eso Susana le dice: "Porque yo espero, ¡espero!, también el correo. Y porque veo en tus ojos, a pesar de todo, la fe" (págs. 61-62). Luis consigue reintegrarse a

[5] Arpa eólica, explica Buero, es un instrumento de cuerda que toca por sí solo de acuerdo con cambios atmosféricos, los cuales arrancan de ella sonidos que semejan como una música rudimentaria.

su labor creadora porque todo el tiempo tuvo fe. A los otros personajes menos importantes también los mueve la esperanza: Julián, un huésped de Enrique y Susana, espera una carta de su mujer, que se ha ido con otro hombre; y los viejos servidores de la casa, Bernardo y Rosenda, esperan noticias de un sobrino que hacía años se había ido a América.

Todos los personajes de la obra reciben una lección. Susana y Enrique se dan cuenta de que querían disfrutar de la vida sin ofrecer nada en cambio. Luis admite por primera vez que fue Susana quien lo dejó, y puede seguir componiendo. Por eso dice: "La verdad es que ella me dejó a mí por Enrique, y no al revés [...] No pude soportar esa humillación y... enloquecí para olvidarla. [...] Perdí la fuerza para crear. ¡Ya la he recobrado!" (pág. 55).

Julián, por su parte, se da cuenta de que el fracaso de su matrimonio se debió parcialmente a su culpa, por lo que decide regresar junto a su mujer. Bernardo y Rosenda podrán vivir ahora en paz al saber que los últimos pensamientos de su sobrino, antes de morir en un naufragio, fueron para ellos.

Por tanto, se han producido las condiciones que, según Buero, debe haber en una pieza teatral para que sea una tragedia: los personajes, apoyados en una fe que no perdieron nunca, han encontrado paz y serenidad a través de su esfuerzo por entender sus debilidades; al sufrir una purificación o catarsis la tensión en que se encontraban se ha resuelto convirtiéndose en paz espiritual y armonía.

Durante años, Silverio en *Hoy es fiesta* ha evitado reconocer ante Pilar, su mujer, la culpa que tuvo en la muerte de la hija de ella. Esta falta de comunicación es lo que se interpone entre los dos, y es simbolizada con la sordera de Pilar.

Silverio, debido a una crisis que se produce en la vida de sus vecinos, finalmente se da cuenta de que todos estos años ha estado esperando el perdón de Pilar. Pero no tiene el coraje de escribir su confesión en el libro de notas que ésta le ofrece.

La pieza es además la tragedia colectiva de los habitantes de la casa de vecindad, que viven llenos de "pobres ilusiones" y "angustia real".

Toda la acción transcurre entre el crepúsculo y el ocaso de un brillante día de fiesta, y en el mismo lugar: la azotea de una casa donde los vecinos se han reunido en tertulia.

Todos estos inquilinos, al igual que Silverio, tienen la esperanza de que su vida mejore. Es precisamente esta esperanza lo que les permite vivir; sin ella, las estrecheces y durezas de su vida serían imposibles de soportar. Como dice Tomasa, una de las vecinas: "¡Tiene que tocar [la lotería]! [...] ¡A ustedes dos se lo digo, que parece como si no esperasen ya nada de este mundo! [...] ¡Pues hay que esperar, qué demonios! Si no, ¿qué sería de nosotros?" (página 61).

La esperanza, que según Buero es la esencia de la tragedia, se encuentra presente en todo su teatro, pero sobre todo en *La señal que se espera* y en *Hoy es fiesta*. En esta última lo que todos esperan es "el premio gordo".

La que más espera y la que más pone de manifiesto el tema de la obra es doña Nieves, quien dice al principio: "Hay que esperar siempre... La esperanza nunca termina... Creamos en la esperanza... La esperanza es infinita" (página 21).

Unos billetes que los vecinos le han comprado a Balbina resultan premiados, pero ésta los ha engañado, dándoles billetes del año anterior. Aunque al principio se enfurecen, finalmente los vecinos la perdonan y deciden no acusarla de estafa.

A consecuencia de ello, tienen ahora más razón que antes para tener esperanza. Como ha dicho Luis Ardilla, "Queda, ya que no franqueada, entreabierta, la puerta de la confianza en el porvenir y del consuelo de la solidaridad" [6].

Este día, que es el aniversario de la muerte de la hija de Pilar, Silverio puede al menos sentirse menos culpable al salvar la vida a Daniela, que intentaba suicidarse. Con ello espera haberse redimido, pero se da cuenta de que el perdón tiene que venir de Pilar. Por eso dice: "A ti te hablo. A ti, misterioso testigo, que a veces llamamos conciencia [...] Pero sé muy bien que sólo puedes contestarme a través de unos labios. Lo sé y lo acepto. [...] Sé bien que el día no ha terminado para mí, que aún me falta la prueba más terrible... Ayúdame a afrontarla" (págs. 94-95).

Por fin Silverio decide confesar la verdad a su mujer, esperando que ella lo perdone. Pero antes de que pueda hacerlo, Pilar muere a consecuencia de un golpe que recibió durante la pelea que se produjo cuando los vecinos descubrieron el engaño de Balbina. De ahí que Silverio nunca pueda estar seguro del perdón de Pilar. Sólo le cabe esperar que desde el más allá pueda oírlo y perdonarlo: "Quizá puedes oírme al fin por tus pobres oídos muertos... Quizá ya sabes. Y yo, ¿cómo sabré?" (pág. 96).

La obra termina con unas palabras de doña Nieves que reafirman que el tema de la obra es la esperanza, aunque sea inalcanzable, porque es infinita, como dice Buero en sus

[6] Reseña de *Hoy es fiesta*. Transcrita por Sáinz de Robles, ed., *Teatro Español, 1956-57* (Madrid, 1958), pág. 41.

comentarios a la obra [7]. "Hay que esperar... Esperar siempre... La esperanza nunca termina... La esperanza es infinita" (pág. 96).

El cuarto grupo en que hemos dividido las obras de Buero comprende aquellas en las cuales aparece como tema o cuestión principal dilucidar la naturaleza de una relación amorosa, sin que ello obste para que también se encuentren en ellas otros de distinta índole, sobre todo en la primera, de fuertes matices éticos.

El tema de *Las palabras en la arena* está tomado de la Biblia. Se refiere al episodio en que Cristo protege a una mujer acusada de adulterio escribiendo en la arena los pecados de las personas que quieren apedrearla. Pero uno de los pecados que señala Cristo será cometido con posterioridad, lo que provoca que Asaf, la persona que lo va a cometer, se burle de sus palabras, creyéndose inocente del crimen indicado. Pero un poco más tarde descubre que su mujer, Noemí, lo ha engañado con un centurión romano, razón por la cual la mata.

La intención ética del autor puede verse en sus comentarios a la obra: "Pues el Evangelio es revelador y valeroso; ventila las lacras humanas y no las oculta. Las convierte en ejemplares meditaciones escritas; no en tabúes. Hagamos, en el más revelador y valeroso sentido de la palabra, un teatro evangélico" [8].

Casi un cuento de hadas es una adaptación de un cuento de Charles Perrault, el poeta neoclásico francés, cuyo título es *Riquet à la houppe*, y que consiste en la historia de una

---

7 "Comentario" a *Hoy es fiesta*, 1.ª ed., Colección Teatro n.º 176 (Madrid, 1957), págs. 101-102.

8 "Comentario" a *Historia de una escalera* y *Las palabras en la arena*, 1.ª ed., Colección Teatro n.º 10 (Extra) (Madrid, 1952), pág. 104.

estúpida aunque linda princesa y de un príncipe que, aunque feo, es muy inteligente.

El tema del cuento, dice Buero, es el poder del amor para transformar a una persona [9].

El argumento es como sigue: Riquet, el príncipe feo, va, llamado por un "hada luminosa", al palacio donde vive Leticia, la bella princesa. Debido al amor que le cobra Riquet se despierta en ella una inteligencia de que antes no mostraba apariencia alguna.

Leticia siempre ha soñado con un apuesto príncipe azul que vendrá a buscarla por la ventana de la galería, que es precisamente por donde aparece Riquet. Éste se convierte, por obra del amor, en el príncipe encantador que ella siempre ha soñado. "Eres mi amado, que he esperado, llena de pena, durante años y que, al fin, ha venido..." (pág. 35).

La lucha entre fe y duda de que habla Buero en su concepto de la tragedia puede observarse en el hecho de que Leticia no siempre ve a Riquet como a un apuesto príncipe. Ello se debe a que el poder que tiene el amor para transformar la apariencia física de Riquet está basado en la fe, y cuando ésta se tambalea produce como consecuencia que la princesa vuelva a verlo como a un hombre "pavoroso". (El papel de Riquet es interpretado por dos actores distintos, siendo esta dificultad uno de los motivos que impulsaron a Buero a escribir la obra [10].)

Riquet también duda a veces. Leticia necesita, a fin de verlo hermoso, que él tenga fe. Por eso le dice: "Si dudas de ti, ¿cómo tendré yo fe? Lo intento, pero no siempre lo consigo. ¡Ayúdame! [...] toma fuerzas para querer

---

9 "Comentario" a *Casi un cuento de hadas,* 2.ª ed., Colección Teatro, n.º 57 (Madrid, 1965), pág. 74.

10 *Ibid.,* pág. 77.

más... Creamos el uno en el otro, y nuestra verdad será una gran verdad" (págs. 35-36).

La fe de Leticia es puesta a prueba cuando Riquet tiene que ausentarse por un tiempo. Ella se queda junto a la ventana esperando el regreso de su príncipe encantador.

Buero contrasta entonces la realidad con la fantasía al hacer que Leticia se enfrente con el bello príncipe Armando, quien viene a pedir su mano. Ella ve entonces la "realidad" de un hombre de cuerpo hermoso, aunque falto de la belleza interior de Riquet. Como le dice éste después: "Has entrevisto los frutos del mundo. Sabes ya de su engañosa belleza, apetecible e inmediata" (pág. 74), y, como consecuencia, ya no puede verlo como a un príncipe bello.

Si en *Las palabras en la arena* se ve el choque de dos actitudes éticas, aquí se ve el contraste de dos amores: el de Riquet, que hace salir a Leticia de la inercia en que se encontraba, y el de Armando, superficial y negativo, que ha conseguido que deje de soñar.

Aunque despierta de su sueño e incapaz ya de ver a Riquet como a un bello príncipe, Leticia lo prefiere al frío amor de Armando. Por eso le dice a Riquet: "¡Prefiero ese dolor! [...] al horror de otro Armando, a la vana y fugaz ilusión de otro ser brutal y frío, como él, que me hiciese necia y frívola, como él quería que fuese" (pág. 74).

La tragedia no es negativa. Leticia ha sufrido una catarsis. Esta depuración espiritual le va a permitir irse con Riquet, aunque ya no lo vea bello. Y va a vivir esperando, ajustándose con ello a la fórmula de Buero: "¡Aunque sea en el dolor, busquemos el sortilegio de nuevo!" (pág. 74). Leticia y Riquet han aprendido que aun cuando el presente sea doloroso, siempre hay una posibilidad de ser feliz si se tiene esperanza. Aunque saben que su matrimonio será difícil, se acercan a él decididos, porque saben que pueden soñar. Por eso ella le dice: "¡Pues amémonos en ese ideal! Soñemos juntos con él en nuestra triste verdad" (pág. 74). El final no es totalmente positivo. Las propias palabras con que Buero finaliza la obra ilustran este punto: "Riquet se aproxima. Ella le toma la cara entre sus manos y lo besa con ternura en los labios, bajo la inaccesible figura que, en su fondo ideal de música y de sueño, presidirá para siempre su difícil amor" (pág. 74).

Madrugada trata de la búsqueda de la "verdad" por parte de Amalia, la protagonista. Comienza poco después que Mauricio, un artista rico, ha muerto. Tenía una querida, Amalia, con la que se casó poco antes de su muerte, y a la cual dejó su fortuna. Pero ella no sabe si lo hizo para probarle su amor o sólo para "pagarle". Esta duda nace del hecho de que Leandro y Lorenzo, dos de los parientes de su marido, no son mencionados en el testamento, y ella teme que alguien la haya difamado.

Amalia llama a los parientes de Mauricio a la casa y les dice, para averiguar la verdad, que su esposo está muy grave y que ha hecho testamento, dejándole todo su dinero, pero que ella no permitirá que lo firme si averigua quién la difamó y cuál fue la reacción de su marido. Amalia tiene sólo hora y media para conseguir su propósito, pues los encargados de montar la capilla ardiente vendrán a las seis de la mañana y la acción de la obra comienza a las cuatro y media.

En la lucha que se desarrolla, el amor de Amalia se enfrenta con los celos, la avaricia y el odio de los parientes de Mauricio. Lorenzo y su hermano Dámaso darían cualquier cosa por ser los herederos. Leonor, la esposa de Dámaso, odia a Amalia, sin dejar de querer también la fortuna. Leandro envidia el éxito artístico de Mauricio, así como el amor de Amalia.

Todo transcurre en la sala de la casa. Y el tiempo de la acción es el mismo que el que lleva representar la obra. Cuando comienza, un reloj, colocado en una posición bien visible, marca las cuatro y cuarto. Dicho reloj funciona durante toda la obra, incluso durante los quince minutos de intermedio. La pieza termina cuando dan las seis.

Minutos antes de que se termine la obra se averigua la verdad: Mauricio no ha dejado nada ni a Lorenzo ni a Leandro porque han difamado a Amalia, con lo cual triunfa el amor de ella. Pero el efecto positivo quizás se extienda a los parientes de Mauricio. La experiencia catártica que sufren puede que les sirva de lección, como dice Dámaso a su mujer (pág. 77).

En las tres próximas piezas la lucha no será entre individuos, sino entre el individuo y la sociedad. En ellas el protagonista encarna al soñador que quiere superarla. Utilizando expedientes muy diversos, como son la historia de España en *Un soñador para un pueblo* y *Las Meninas* y la fantasía en *Aventura en lo gris,* Buero dramatiza problemas y situaciones que tienen un mucho de actualidad.

Un soñador para un pueblo es una versión libre del famoso motín de Esquilache, que empezó en Madrid el 23 de marzo de 1776, con desórdenes que se corrieron posteriormente a provincias. El motín ocurrió a consecuencia de un edicto dictado por Esquilache regulando el uso de capas y sombreros. Esquilache fue uno de los ministros italianos que Carlos III trajo de Nápoles, y que había trabajado con él cuando era rey de las Dos Sicilias.

Esquilache es un idealista, un soñador, que trata de educar al pueblo. Por eso instituye varias reformas, como el empedrado de las calles de Madrid, la instalación de faroles y la prohibición de usar capa larga y sombrero gacho, medida esta última que fue recibida con sumo desagrado por el pueblo.

Una serie de elementos conservadores se oponen a las reformas de Esquilache e inclusive incitan al pueblo contra él. Impulsado por estos elementos conservadores, el pueblo rompe los cinco mil faroles instalados por Esquilache (lo cual tiene un fuerte alcance simbólico), saquea su casa y amenaza con amotinar al país entero.

El marqués de la Ensenada, la contrafigura de Esquilache, había sido ministro de Fernando VI y originalmente había apoyado muchas de las reformas implantadas por Esquilache; pero, movido por la envidia y la ambición personal, promueve el motín.

A Esquilache lo traicionan y se le oponen todos excepto Fernandita, una humilde sirvienta, que es la única que le está agradecida por los esfuerzos que hace por mejorar al pueblo.

La noche del motín el rey le cuenta a Esquilache las peticiones del populacho; pero, en vez de resolver la cuestión, la deja a discreción del italiano, quien le responde que debe aceptar lo que le piden: su exilio, para evitar una guerra. El sacrificio de Esquilache al decir esto es doble, pues tiene también que dejar a Fernandita, por quien llegó a sentir un cariño entrañable.

Aunque derrotado externamente, Esquilache, gracias a la catarsis que se ha producido en él a consecuencia de los hechos de la obra, ha triunfado moralmente, al sacrificarse por el bienestar del pueblo español. Esta misma catarsis le permite además aceptar con serenidad su derrota externa.

Ensenada es un escéptico; para él los sueños de Esquilache son meras ilusiones. Por eso se corrompe, porque los buenos propósitos de un político razonador que no aprende a soñar, tarde o temprano se convierten en sed de poder.

Al final de la obra los sueños del soñador no se han cumplido. Sin embargo, no por ello ha desaparecido la esperanza. Ésta se encuentra presente en Fernandita, que representa al buen pueblo español, ese pueblo en que Esquilache confía y a quien Ensenada desprecia como incapaz de aprender si no es a la fuerza. Sus posibilidades de triunfo son simbolizadas en el rompimiento definitivo de sus relaciones con Bernardo, que representa la oscuridad, los instintos malos del pueblo.

El problema central de *Las Meninas* es la elección que el artista tiene que hacer entre su verdad, rebelde y sincera, y su conveniencia. El personaje Velázquez tiene, probablemente, un mucho de Buero Vallejo, que también, precisamente por no querer claudicar, ha sido criticado y ha tenido dificultades en presentar sus obras. Para el dramaturgo lo importante es exponer sus ideas, sin importarle mucho el lucro personal. La misma postura ha adoptado con respecto al gobierno de su país, al cual ha apoyado públicamente, a pesar de todas las conveniencias y ventajas que pudiera ganar en hacerlo.

La verdad a que se refiere la obra es la decadencia moral y económica de España, que ya iniciada, podría decirse, con la muerte de Felipe II, se encontraba en completo desarrollo en el reinado de Felipe IV, que es donde se sitúa la acción.

Pero en la España de la época no era permitido hablar del dolor que existía. Todo era cubierto con una capa mentirosa y había que dar la espalda a los problemas gravísimos que se presentaban, tanto de índole social como económica y moral.

Es en esta atmósfera perniciosa y falaz, de evasión de la realidad, donde Velázquez, el intelectual honrado de alto genio, lucha por declarar la verdad. Esta verdad puede verse en el bosquejo de su cuadro "Las Meninas". En dicha pintura, que muestra la nueva técnica de pintar las cosas: la "manera abreviada", Velázquez va a tratar de comunicarnos su verdad acerca del problema de España.

Velázquez, como hombre superior, no tenía lugar en un ambiente cortesano de envidia, odio e intriga. El único que lo entiende, el único en quien Velázquez encuentra comprensión y afinidad de pensamiento es Pedro, quien dieciséis años antes le había servido de modelo para su cuadro de Esopo. Cuando era joven, quiso pintar, pero por circunstancias ajenas a su voluntad se vio impedido de hacerlo. Sirvió seis años en galeras por un crimen que no cometió y, al acabar su condena, pasó su vida luchando por enderezar tuertos. Entre otras cosas ha matado a un oficial que se lucraba con la comida de sus hombres y ha capitaneado varios movimientos subversivos contra la imposición de impuestos injustos. Pero para hacer esto ha tenido que renunciar a todos sus sueños personales. Ya viejo y perseguido por la justicia ha venido a buscar amparo en Velázquez. Pedro y Velázquez son rebeldes, pero la rebeldía de Pedro es positiva, es la del hombre de acción. Él es la personificación del buen gobernante, de acuerdo con Buero, porque es el soñador que actúa, es el rebelde en acción. Velázquez ha sido hasta ahora un soñador, pero no ha hecho mucho por sus sueños. Ha tenido ideales, pero ha guardado un silencio de tumba con respecto a ellos.

Velázquez es llevado a juicio, ante un tribunal cortesano donde el rey es el juez, por pintar una Venus desnuda, por el cuadro de "Las Meninas", y por la protección que ha prestado a Pedro. Velázquez se defiende con éxito contra las acusaciones que se le hacen con respecto a la Venus y a "Las Meninas", demostrando que ha sido acusado por envidia y por la ambición de obtener su puesto de aposentador real. Cuando llega el momento de la acusación de haber dado albergue a Pedro, se sabe que éste ha intentado escapar y ha rodado por la ladera de una colina, matándose. Su muerte produce un efecto catártico en Velázquez. El sacrificio del soñador, que quizás hasta haya buscado la muerte para protegerlo, hace que ahora por primera vez se decida a decir al rey claramente su verdad: "Ya no podría mentir, aunque deba mentir. Ese pobre muerto me lo impide... Yo le ofrezco [...] ¡La verdad, señor, de mi profunda, de mi irremediable rebeldía!" (pág. 123).

Pedro, el verdadero héroe de la pieza, ha muerto; pero esta derrota física ha tenido su fruto, pues Velázquez ha reaccionado y se ha enfrentado con el rey diciéndole la verdad. Éste ha sido el efecto beneficioso de la catarsis que ha sufrido.

El afán de Silvano, el protagonista de *Aventura en lo gris,* es el de abrir los ojos a la sociedad en que vive para que se dé cuenta de lo equivocada, lo ciega que está frente a las injusticias sociales y la decadencia moral. La solución ofrecida en esta obra es la de que únicamente a través de la comprensión y del amor pueden encontrarse medios de reconciliación para un grupo de hombres en conflicto.

La tragedia tiene lugar en un albergue para refugiados cerca de la frontera de Surelia, un país imaginario de Europa. Entre los refugiados que se encuentran allí están: Alejandro, que es en realidad Goldman, el líder del partido gubernamental, disfrazado; Silvano, un profesor de historia; Ana, la secretaria y querida de Goldman; Isabel, una muchacha campesina, con un niño producto de una violación; Carlos, amigo de Isabel; y un campesino. Huyen porque el país acaba de ser derrotado en una guerra y está siendo asolado por el enemigo.

En Goldman y Silvano encontramos otra vez el contraste entre el hombre de acción y el soñador. Silvano, el soñador, aunque dice no estar seguro de si la postura que adopta es la correcta, espera, sin embargo, poder demostrar que es más útil a su país que Goldman, el hombre de acción.

Poco antes de que se acuesten a dormir, Silvano habla de cómo sueña con una tierra de paz. Añade que los hombres de acción no valen nada si no están guiados por sus sueños. Incluso sugiere que si todos los hombres pudieran tener el mismo sueño, quizás habría paz en el mundo: "Por eso pienso a veces una cosa... muy extraña. ¿Y si las personas que se tratan entre sí empezaran a soñar con frecuencia un mismo sueño? [...] Quizá al despertar no podríamos seguir fingiendo. Tendríamos que mejorar a la fuerza" (pág. 45). Goldman, por su parte, adopta una postura diametralmente opuesta y dice que soñar es cosa de mujeres o de contemplativos.

Esa noche el milagro ocurre: todos, con excepción de Goldman, tienen el mismo sueño. Durante el sueño, en que se ve a los personajes por dentro, y que transcurre en un escenario irrealista con un fondo submarino y la música de "Sirenas" de Debussy oyéndose en la lejanía, Isabel sale, gritando que ha sido violada otra vez. Carlos la acusa de estar huyendo de él para hacerlo sufrir, y pone las manos alrededor de su cuello como si la fuera a estrangular, pero ella cae al suelo antes de que pueda tocarla.

En el siguiente acto se vuelve otra vez al albergue. Nos enteramos entonces de que alguien mató a Isabel mientras dormían. Carlos cree que fue él quien la mató, pero Silvano demuestra que el asesino es Goldman, quien trató de seducirla inútilmente. A su vez Carlos lo mata entonces a él.

Después de esto el campesino se ofrece a guiarlos para que puedan cruzar la frontera. Todos se van menos Silvano y Ana, quienes deciden quedarse a tratar de salvar al niño, el cual no resistiría la difícil marcha a través de la montaña. Y lo hacen a pesar de que posiblemente sean fusilados. Entre los soldados que llegan hay uno que puede que sea el padre del niño. A instancias de Ana y Silvano, finalmente consiente en llevárselo con él.

Silvano ha vencido a Goldman porque ha actuado, no se ha limitado a soñar. Goldman ha sido derrotado porque, como Ensenada, es un gobernante que no sueña, por lo que se ha corrompido. Silvano, al igual que Ana, ha logrado una victoria interna. Por eso, cuando están a punto de ser fusilados, pueden enfrentarse a la muerte sin miedo.

La pieza termina con una nota de aliento, esperanzadora. Los sueños de Silvano no se han cumplido y él acaba siendo una víctima de la guerra; los hombres todavía no han aprendido a soñar. Pero aún hay esperanza: uno de los soldados ha accedido a salvar al niño, por cuyas venas corre sangre enemiga. Con este niño introduce Buero en la pieza una nota de esperanza, por muy incierta que ésta sea.

Las obras que plantean la posibilidad de la existencia de una realidad trascendente son dos: *La tejedora de sueños* e *Irene o el tesoro*.

La tejedora de sueños es una nueva versión de la leyenda de Penélope y Ulises. La acción se desarrolla en el palacio de éste en Ítaca, veinte años después de su partida a la guerra de Troya. Penélope tiene que elegir un marido entre los aspirantes a su mano, y lo demora por medio de su famoso truco de destejer por la noche lo que teje por el día. Pero en esta versión moderna, no lo hace por amor a su marido, sino porque no tiene valor para elegir a Anfino, el pretendiente que ama. Teme que los demás pretendientes lo matarían por envidia. Ulises viene al palacio disfrazado de pordiosero y cuando los pretendientes compiten por la mano de Penélope, se identifica como Ulises y los mata a todos, incluyendo a Anfino, a pesar de que sabe que éste protegió a su mujer. Pero al final se da cuenta de que, aunque lo ha matado, no ha podido derrotarlo.

Ulises estaba en realidad interesado, no en el amor de Penélope, sino en su propio prestigio. Por eso ordena que se destruya la tela que tejía Penélope, donde ella expresaba sus sueños, que no eran con él sino con Anfino.

Este amor egoísta de Ulises contrasta poderosamente con el desinteresado de Anfino, quien está dispuesto a aceptar a Penélope tal como es, con sus defectos y virtudes, y llega al extremo de dar la vida por su amor. Entre todos los pretendientes, es el único que no trata de escapar. Anfino, además, puede perdonar: cuando Penélope le dice que en realidad ella empezó a tejer el sudario de Laertes porque quería que los pretendientes continuaran luchando por ella, ya que eso la hacía recordar su juventud, Anfino la disculpa y le dice que no ve en ello nada censurable (página 40).

Ulises mismo se ha labrado su propia infelicidad por carecer de fe. Si hubiera venido sin ocultarse bajo el disfraz de mendigo; si se hubiera acercado a Penélope sin temor de mostrar sus arrugas y su vejez, quizás ella habría reaccionado y encontrado otra vez el amor que una vez le tuvo.

Otro de los temores de Ulises era hallar a Penélope vieja y fea. Pero si hubiera tenido amor y fe, la hubiera encontrado joven y bella, como la ve Anfino. La cobardía y ceguera espiritual de Ulises provocan que, aunque haya aparentemente recuperado a su mujer, su destino sea "vivir muriendo".

La tragedia no es cerrada, al terminar con una victoria espiritual de Penélope, quien se mantendrá joven y bella en los sueños de Anfino. Le dice a Ulises: "Y eres tú, tú solamente, quien ha perdido la partida. ¡Yo la he ganado! Porque dices muy bien: ya somos viejos... el uno para el otro. Pero tú no habrás tenido en tu camino ninguna mujer que te recuerde joven, porque tú naciste viejo. Pero yo seré siempre joven ¡joven y bella en el recuerdo y en el sueño eterno de Anfino!" (pág. 71).

El alcance metafísico de la obra viene dado por la creencia que tiene Penélope de que un día encontrará a Anfino, quien la estará esperando, recordándola siempre bella, en un mundo feliz: "¡Oh, Anfino! Espérame. Yo iré contigo un día a que me digas la rapsodia que no llegaste a hacer... Tú eres feliz ahora, mi Anfino, y yo te envidio... ¡Dichosos los muertos!" (pág. 73).

Además, la obra tiene una proyección universal de fe que no se circunscribe al conflicto presentado, pues Penélope también confía en que llegará un día ideal en que los hombres aprendan que la única solución a sus conflictos es el amor, el amor puro y desinteresado como el de Anfino: "Esperar... Esperar el día en que los hombres sean como tú [Anfino]... y no como ése. Que tengan corazón para nosotras y bondad para todos; que no guerreen ni nos abandonen. Sí; un día llegará en que eso sea cierto. [...] Pero para eso hace falta una palabra universal de amor" (página 73).

En *Irene o el tesoro* también se ve al hombre viviendo en un mundo de tinieblas, representado por una habitación destartalada donde vive una familia tiranizada por el usurero Dimas. Irene, su nuera, enviudó al mes de casarse y perdió a su hijo en el parto. Vive allí como una sirvienta, maltratada continuamente de palabra por Dimas, su esposa Justina y su hija Aurelia.

Esa vida le es muy dura a Irene, y para soportarla sueña con las historias que leyó de niña, llenas de hadas, duendes y tesoros escondidos.

Un día se le aparece un duendecito, que es la encarnación de este mundo maravilloso con que sueña Irene, y que es presentado como un niño de unos seis años, vestido de verde y con un pico de plata. Este duende, cuyo nombre es Juanito, ha sido enviado por "La Voz" a encontrar un tesoro. Esta "Voz" sólo puede ser oída por Juanito y los espectadores. Juanito, a su vez, sólo puede ser visto por Irene.

Siguiendo órdenes de "La Voz", Juanito enseña a Irene un mundo maravilloso de luces que produce con su pico. Le dice que abra el balcón y le muestra un camino resplandeciente que parte del mismo.

Justina y Méndez, un compinche de Dimas, se llevan a éste, mediante una estratagema, a un sanatorio de locos. De esta manera piensan apoderarse de su dinero. Mientras Irene está encerrada en su cuarto temiendo que sea a ella a quien lleven, "La Voz" comunica a Juanito que el tesoro es en realidad Irene, y ordena que se lo traiga. Juanito, de nuevo con Irene, le promete llevarla a un mundo donde todo es felicidad, y de la mano la conduce por el camino de luz que sale del balcón. Al mismo tiempo se oyen los gritos de los vecinos, diciendo que Irene se ha caído por el balcón.

Ella quizás haya escapado de la sórdida realidad de la casa de Dimas y se haya ido a su nueva realidad, llena de felicidad y de luz. Pero no lo sabemos a ciencia cierta, lo que hace la obra ambivalente. De todas formas, el elemento de la esperanza se ve en la sugerencia de que puede que exista una realidad metafísica.

Capítulo IV

TÉCNICA DRAMÁTICA

SÍMBOLO

El símbolo tiene una importancia extraordinaria en las obras de Antonio Buero Vallejo, al extremo de que se encuentra en todas ellas, teniendo entre sus funciones principales la de dar tangibilidad, corporeidad, a los conflictos y temas de las piezas. Entre estos símbolos es indiscutible que el más importante es el de la luz, utilizado en diez de ellas.

Lo que se presenta en *Historia de una escalera* es el fracaso de unos personajes que, debido a su carácter abúlico, son incapaces de luchar con la vida. El símbolo es utilizado para enfocar la atención sobre esto: En la descripción de la escenografía con que se abre la obra aparece "una polvorienta bombilla enrejeda" (pág. 9). Y el primer personaje que se ve aparecer es el cobrador de la luz (pág. 10). Estos elementos simbolizan la "ceguera" de los vecinos de la casa que les impide "ver" lo que tienen que hacer para triunfar en la vida.

Al final del primer acto hay un incidente que simboliza los sueños rotos, no alcanzados, de Carmina y Fernando, cuando éste derrama la leche: "Se inclina para besarla y da un golpe con el pie a la lechera, que se derrama estrepitosamente. Temblorosos, se levantan los dos y miran, asombrados, la gran mancha blanca en el suelo" (página 31).

El símbolo principal de la pieza es la escalera, que representa la vida que los está derrotando a todos. Puede verse su carácter simbólico en estas palabras de Fernando a Urbano:

> Ayer mismo éramos tú y yo dos críos que veníamos a fumar aquí, a escondidas, los primeros pitillos... ¡Y hace ya diez años! Hemos crecido sin darnos cuenta, subiendo y bajando la escalera, rodeados siempre de los padres, que no nos entienden; de vecinos que murmuran de nosotros y de quienes murmuramos... Buscando mil recursos y soportando humillaciones para poder pagar la casa, la luz... y las patatas. *(Pausa.)* Y mañana, o dentro de diez años que pueden pasar como un día, como han pasado estos últimos..., ¡sería terrible seguir así! Subiendo y bajando la escalera, una escalera que no conduce a ningún sitio; haciendo trampas en el contador, aborreciendo el trabajo..., perdiendo día tras día... (pág. 19).

En *Las palabras en la arena,* la única obra en un acto de Buero, utiliza éste el símbolo en la conexión que se establece entre la fenicia, que traiciona a su ama Noemí, y las monedas que le da el centurión. Éstas representan su traición (debe tenerse en cuenta el hecho de que Cristo, traicionado por Judas por treinta monedas de plata, entra en la trampa de la obra) y califican su modo de obrar.

La ceguera simboliza en el drama *En la ardiente oscuridad* la incapacidad de los hombres para encontrar soluciones a sus problemas, así como el que los alumnos del

Centro tienen cerradas las puertas a la esperanza. Dice Ignacio a Juana y a Carlos: "No tenéis derecho a vivir, [...] porque os negáis a enfrentaros con vuestra tragedia, fingiendo una normalidad que no existe, procurando olvidar e incluso aconsejando duchas de alegría para reanimar a los tristes. [...] ¡Ciegos! ¡Ciegos y no invidentes, imbéciles! [...] vosotros sois demasiado pacíficos, demasiado insinceros, demasiado fríos. Pero yo estoy ardiendo por dentro; ardiendo con un fuego terrible, que no me deja vivir y que puede haceros arder a todos... Ardiendo en esto que los videntes llaman oscuridad, que es horrorosa..., porque no sabemos lo que es. Yo os voy a traer guerra, y no paz. [...] ¡Ver! Aunque sé que es imposible, ¡ver!" (págs. 29-31).

Otros símbolos de la obra son la noche estrellada, que representa ese mundo metafísico que Ignacio anhela; y la luz, símbolo de la verdad. Véase esta conversación:

> IGNACIO. ¿No te has dado cuenta al pasar por la terraza de que la noche estaba seca y fría? [...] eso quiere decir que ahora están brillando las estrellas con todo su esplendor, y que los videntes gozan de la maravilla de su presencia. Esos mundos lejanísimos están ahí *(Se ha acercado al ventanal y toca los cristales)*, tras los cristales, al alcance de nuestra vista..., ¡si la tuviéramos! *(Breve pausa.)* [...] yo las añoro, quisiera contemplarlas; siento gravitar su dulce luz sobre mi rostro, ¡y me parece que casi las veo! *(Vuelto extáticamente hacia el ventanal. Carlos se vuelve un poco, sugestionado a su pesar.)* Bien sé que si gozara de la vista moriría de pesar por no poder alcanzarlas. ¡Pero, al menos, las vería! Y ninguno de nosotros las ve, Carlos. ¿Y crees malas estas preocupaciones? [...] ¡Es imposible que tú —por poco que sea—, no las sientas también!
>
> CARLOS. *(Tenaz.)* ¡No! Yo no las siento.
>
> IGNACIO. No las sientes, ¿eh? Y ésta es tu desgracia: no sentir la esperanza que yo os he traído.

CARLOS. ¿Qué esperanza?
IGNACIO. La esperanza de la luz.
CARLOS. ¿De la luz?
IGNACIO. ¡De la luz, sí! [...]
CARLOS. *(Despectivo.)* ¡Ah, bah!
IGNACIO. Ya, ya sé que tú lo rechazas. ¡Rechazas la fe que te traigo!
CARLOS. ¡Basta! Luz, visión... Palabras vacías. ¡Nosotros estamos ciegos! ¿Entiendes? [...]
IGNACIO. ¿Ciegos de qué?
CARLOS. *(Vacilante.)* ¿De qué?
IGNACIO. ¡De la luz! (Págs. 62-63).

La melodía que se oye en el primer acto por los altavoces es también simbólica: el adagio del "Claro de luna" de Beethoven (pág. 25). Esto después lo silba Ignacio, con una acotación significativa de Buero: "Ignacio queda solo. Silba melancólicamente unas notas del adagio del 'Claro de luna'" (pág. 49).

Y la obra se cierra con Carlos repitiendo las palabras que dijera antes Ignacio, mientras la acotación subraya el hecho de que está frente a las estrellas: "Allí queda inmóvil, frente a la luz de las estrellas" (pág. 79).

Los diferentes símbolos que emplea Buero en esta obra están encaminados a presentar el tema y el argumento: la ceguera representa la actitud negativa de los alumnos de contentarse con lo que tienen, de no alentar esperanzas. Con la esperanza también está relacionado el simbolismo de la luz y de lo que silba Ignacio. El simbolismo de las estrellas, por su parte, materializa la abstracción de la felicidad metafísica buscada por Ignacio.

Cuando hacen su aparición los pretendientes en *La tejedora de sueños,* Leócrito está comiendo unas uvas y Antonio está completamente borracho (págs. 19-20). Más tarde le dice Pisandro a Penélope: "El vino es sagrado, Penélope" (pág. 24). Los pretendientes simbolizan la disipación, y por eso son asociados con las uvas, el símbolo de Dionisio, el dios de la borrachera, seguido siempre por unos sátiros, que representan a su vez la libidinosidad. Como los sátiros de la mitología, están llenos de deseos sexuales, y tienen que llevarse una esclava con ellos todas las noches. Cuando Penélope les ofrece tejer por la noche, ellos rechazan la proposición, porque tendrían que dejarle las esclavas.

Buero mezcla en esta pieza el símbolo con la realidad. Penélope tejía físicamente en el telar, pero lo que tejía eran sus sueños, sus deseos. Por esto en el tercer acto Ulises quiere ver lo que estaba haciendo, y ella se opone, temerosa de que descubra su secreto:

> ULISES. ¡Y ahora, abre el templete!
> PENÉLOPE. *(Asustada.)* ¡No!
> ULISES. ¡Hundiré la puerta a hachazos!
> PENÉLOPE. ¡Rufián!
> ULISES. Y tú soñadora. ¡Dame la llave, soñadora!
> PENÉLOPE. ¿Qué crees que vas a encontrar en el sudario?
> ULISES. Tu alma.
> PENÉLOPE. Mi alma no se puede tener a la fuerza. (Página 69).

Véanse, además, estas palabras de Penélope a Anfino: "Son... ¡mis sueños! [lo que teje] Mis sueños, que luego debo deshacer [al destejer], todas las noches, por conseguirlos definitivamente algún día" (pág. 41). Y cuando el coro de las esclavas dice: "Ella bordó sus sueños en la tela", Penélope va hasta el templete, abre la puerta y le dice a Ulises: "¡Puedes verlos!" (pág. 72). La frase "debo deshacer mis sueños" tiene un doble significado: ella va a destejer lo que tejió por el día. Pero también significa que va a destruir sus ilusiones.

El símbolo es, pues, usado aquí por Buero como recurso de carácter fundamentalmente expositivo: *a)* El carácter disipado de los pretendientes se recalca al asociarlos con las uvas; *b)* El juego real-simbólico del tejer y destejer de Penélope da corporeidad a su conflicto interior.

El arpa eólica, cuyo sonido todos aguardan en *La señal que se espera,* simboliza la esperanza que anima a todos los personajes: los criados esperan la carta del sobrino que se fue; Luis, poder componer otra vez; Enrique, que Susana aún lo ame, etc. Cuando al fin encuentran lo que buscaban, suena el arpa eólica, indicando que los deseos de todos se han cumplido: "Una dulcísima y lejana armonía, que dijérase hecha de eterno viento susurrante y voces claras, inicia sus acordes. Es una música increada que no existe en la tierra; pero acaso puede parecérsele remotamente el preludio de 'Lohengrin'. Hasta el final del acto, el incomprensible milagro musical se desarrolla y gana fuerza sonora sobre el sereno grupo de los seis" (pág. 71). Este símbolo, por tanto, materializa el tema de la obra.

En *Casi un cuento de hadas,* Riquet y Leticia son asociados con la luz. Ésta es la descripción del cuadro con que se abre la obra: "El chaflán de la derecha lo forma el balcón, amplio y hondo, con poyete de madera inundado de luz. [...] Sentada con la menor cantidad de etiqueta posible en el poyete del balcón, rodeada de muñecos, libros desportillados y estampas de colores, se encuentra su alteza real la Princesa Leticia. [...] La blanca luz del día destaca con fuerza su delicada figura, como una vaga nota de irrealidad en el concreto ambiente palaciego" (págs. 7-8). En esta misma escena, la reina se le acerca y le dice: "¿Qué haces, sol mío?" (pág. 12).

En la conversación que se transcribe a continuación, Riquet es asociado con la luz:

> RIQUET. Mi nombre es Riquet. "Riquet, el del copete", como me llaman a mis espaldas, a causa de este mechón rebelde.
>
> LETICIA. ¿Por qué no os lo empolváis?
>
> RIQUET. No brillaría como brilla ahora. Y no puedo evitar la idea de que en el está mi talento. ¿Habéis visto los grabados que representan a Moisés?
>
> LETICIA. Sí.
>
> RIQUET. ¿Aconsejaríais a Moisés que empolvase sus potencias de luz?
>
> LETICIA. ¿Los dos cuernecitos de luz?
>
> RIQUET. Sí. (Págs. 21-22).

Riquet el hermoso representa la fe de Leticia. Mientras ella la tiene, lo puede ver bello, pero cuando la pierde, ya no es capaz de apreciar su belleza y se convierte, también para ella, en el Riquet feo:

> RIQUET. *(Tenaz.)* No. Recuérdalo. Con un pequeño esfuerzo aún me verías como entonces... Cierra los ojos y recuerda. ¡Recuerda!... *(Suave música de violines. Ella cierra los ojos. La gallarda figura de Riquet, vestida con un lujoso traje de luto exactamente igual al del hombre que vemos en escena, aparece en la galería por la derecha.)* Eran nuestros momentos mejores. Yo aparecía en la galería... *(El bello enlutado baja por el acceso izquierdo.)*
>
> RIQUET, EL HERMOSO. *(Mientras camina hacia ella.)* ...y tus ojos brillaban de fe. ¿Lo recuerdas?
>
> LETICIA. Sí...
>
> RIQUET, EL HERMOSO. Pues mírame, Leticia mía... Soy el mismo... *(Los dos Riquets se encuentran a ambos lados*

de la princesa. Ella abre los ojos y mira al hermoso. Después, lentamente, al feo.) Soy el hombre que te hizo revivir. Y ahora te estás apagando de nuevo. ¡Soy yo quien puede devolverte la antigua alegría! *(Los violines callan.)*

LETICIA. *(Sin dejar de mirar al feo.)* Ya es tarde... (Pág. 59).

Al principio de *Madrugada*, cuando Amalia aún no sabía si Mauricio la amaba, la acotación con respecto a la escenografía es la siguiente: "Tras las cortinas descorridas del ventanal, la densa negrura del cielo" (pág. 8). Al final, cuando ha averiguado la verdad, la acotación, mostrando el simbolismo, es la siguiente: "Mónica entra despacio por el chaflán y la mira en silencio. Luego va al foro y apaga la luz. Se acerca al ventanal y descorre las cortinas. La limpia claridad del alba penetra en la estancia, y Amalia la recibe con un largo suspiro (pág. 79).

Las pulseras de Leonor son simbólicas; representan su ambición por el dinero. Esta es parte de su descripción: "Lleva numerosas pulseras de un amarillo relumbrante, que le gusta hacer sonar con frecuencia" (pág. 18). Continuamente las hace sonar; he aquí las siguientes acotaciones del primer acto: "Impaciente taconea [Leonor] en el piso y hace sonar sus pulseras" (pág. 19); "Hace sonar sus pulseras" (pág. 20); "Leonor corre a sentarse y adopta una postura digna, con gran juego de pulseras" (pág. 23); "Sus pulseras emiten un despectivo comentario" (pág. 25); "Leonor hace sonar sus pulseras" (pág. 31).

El reloj amén de ser usado para aumentar la tensión con su palpable presencia, tiene un alcance simbólico, como lo indica el propio Buero: "El papel de la fatalidad juega indirectamente en la obra [...] y el de los dioses vengativos por ese reloj indiferente, antiguo Cronos barbudo que por la sola fuerza de su presencia, enreda en sus propios errores y precipita hacia el crimen a una parte de los personajes" [1].

A este respecto, hay en la acotación sobre la escenografía del primer acto unos comentarios significativos: "Entre el ventanal y la puerta del foro, un hermoso reloj de pie, de ancha esfera, en cuya verdadera y precisa marcha se enhebrarán las incidencias de la noche. Al comenzar la acción, sus manecillas marcan exactamente las cuatro y cuarto. En la casa reina un gran silencio, que el sordo latir del reloj subraya" (pág. 8).

Las funciones de estos símbolos son las siguientes: La luz y el reloj sirven para concentrar la atención del público sobre el argumento. Las pulseras de Leonor ayudan a caracterizarla. Tienen, pues, una función expositiva.

En *Irene o el tesoro*, por su parte, el símbolo tiene dos funciones: una es la de caracterizar a Irene como soñadora y a Dimas como materialista; y otra es la de dar corporeidad a elementos no tangibles, como la ceguera moral de Dimas y la realidad metafísica con que sueña Irene.

Irene es asociada con un costurero, que simboliza su carácter soñador. En el primer cuadro aparece "entre el costurero y la camilla" (pág. 8). En ese momento suena el timbre de la puerta y ella "no parece advertirlo" (pág. 8), porque estaba soñando despierta.

Justina increpa duramente a Irene y le dice: "¡Termina de fregar y cóseme eso pronto!" (pág. 11). La acotación de Buero es significativa: "En la cara de Irene se dibuja una sonrisa" (pág. 11). Ella sonríe porque es feliz

---

1 "Comentario" a *Madrugada*, 1.ª ed., Colección Teatro n.º 96 (Madrid, 1954), pág. 91.

cuando sueña. Y Sofía, dándose cuenta de que Irene necesita soñar, le dice: "Cose, hija, cose. Dios te ayudará, tú lo verás. Él consuela siempre. [...] ¡Cose!" (pág. 25).

Por todo el segundo acto, se ve a Irene cosiendo (páginas 47, 48, 55 y 57); y el tercer acto lo abre Irene precisamente sentada junto al costurero (pág. 67).

Dimas es asociado con su gorra, y con su calva "poco noble", las cuales simbolizan su materialismo. En su descripción, se ve enfocada nuestra atención sobre ambos detalles: "...y una brillante calva, un tanto apepinada, que muestra bien a las claras la línea totalmente falta de nobleza de su pequeño cráneo. [...] Se saca del bolsillo del batín una mugrienta gorra de visera y se la encasqueta con furia" (págs. 14-15); y a lo largo de la obra se le asocia con la gorra (págs. 34, 42, 43, 45, 46, 48, 70 y 87).

Dimas está preocupado por lo que se gasta en luz en la casa y continuamente está ordenando que apaguen las lámparas. Su obsesión por las luces simboliza su ceguera moral. En el segundo acto le dice a Aurelia: "¡Muy bonito! Toda la casa encendida y cada uno por su lado. [...] Di a ésas que vengan aquí y apaga todas las luces que veas" (página 42). Y después: "Gastar vista... y luz" (pág. 43). Cuando Daniel se apresta a irse a su cuarto, Dimas le dice: "¿A gastar luz?" (pág. 45). Y un poco más tarde, hablando con Justina: "Aquí hay demasiada luz. *(Mira a la lámpara y se dirige a la segunda izquierda.)* ¡Vamos, que apago! [...] ¡Y toda la casa encendida!" (pág. 49).

La Voz y Juanito representan la realidad metafísica con la que sueña Irene. Por eso el primero dice estas palabras: "En todas ellas viven, como aquí, pobres seres [...] sin sospechar siquiera que el misterio los envuelve" (pág. 38). Y más adelante Juanito le dice a Irene: "¡Yo estoy hecho de la sustancia del misterio!" (pág. 39). Cuando Juanito confía a La Voz que él lo cree Dios, La Voz responde: "Levántate y no pronuncies esa palabra. Es demasiado elevada para todos nosotros" (pág. 90).

Los símbolos de *Hoy es fiesta* están relacionados con su tema, que es la esperanza, y con la causa de la infelicidad de Pilar y Silverio, que es su falta de comunicación, simbolizada esta última en la sordera de Pilar.

El sol representa la verdad, que es posible que se descubra ese día, en cuanto a las relaciones de Pilar y Silverio. Balbina dice a Elías: "Días así siempre son gratos... Hasta el sol parece que luce más" (pág. 28). Después le dice Pilar a Silverio: "Está hermoso el día. [...] Tiene una claridad especial. Y es que hay días extraños. [...] Días en que parece [...] como si fuese a suceder algo muy importante" (página 38).

En el segundo acto, cuando parece que Silverio va a confesar la verdad a Pilar, se encuentra la siguiente acotación: "El día siguió su marcha y la luz del sol, desde la izquierda y muy alta, cae ahora casi a plomo sobre las azoteas" (pág. 40). Pero en el tercer acto se ve que Silverio no va a decir la verdad. Igualmente se produce en este acto la venta de billetes falsos por Balbina. He aquí la acotación: "La dorada claridad del sol poniente invade, desde el frente izquierdo, las azoteas. En el transcurso de la acción se transforma en una fría luz decreciente, que adensa al profundo azul del cielo" (pág. 70). Tomasa, mirando significativamente a los billetes, dice: "Ya no se ve bien" (pág. 78).

Dice doña Nieves: "La esperanza nunca termina... La esperanza es infinita" (pág. 96). Y esta esperanza de que habla Nieves es simbolizada por la luz de la luna y de las estrellas. Véanse las siguientes acotaciones: "El cielo se ha ido oscureciendo, pero la luz de la luna ilumina ahora, desde la derecha, las azoteas" (pág. 90). "Silverio [...] mira al cielo, donde luce ya la primera estrella y desde donde la luna envía su luz serena" (pág. 94). "La puerta y la ventana de la terraza se iluminan. Silverio mira hacia la puerta de la azotea" y dice: "Mira: las cosas se reanudan. Doña Nieves recibe ahora otra cliente. Vuelve la esperanza..." (pág. 95).

Dos son los motivos del conflicto en *Las cartas boca abajo,* la falta de comunicación de los miembros de la familia entre sí, y los sueños de grandeza que tienen o han tenido todos, sin que hayan hecho, sin embargo, ningún esfuerzo por alcanzarlos.

En la descripción de la escenografía se hace referencia a la cornisa de la casa, desconchada en algunas partes, simbolizadora de las numerosas desavenencias e incomprensiones entre los miembros de la familia: "Una gran cornisa, pintada del mismo color, las separa del techo, en el centro del cual el rosetón, también pintado, sostiene la lámpara. En la cornisa, algún desconchado deja ver la blancura del yeso de que está formada. [...] Precisamente encima de esta entrada, a la cornisa le falta un trozo apreciable, desprendido y caído, sin duda, tiempo atrás. Y, si aguzamos la vista, podremos advertir en la pared del foro una de esas grietas, frecuentes en las casas viejas —y también en muchas nuevas— que sube oblicuamente desde el zócalo y de derecha a izquierda, para morir en el desperfecto de la moldura" (págs. 7-8). (Nótese cómo la grieta, simbolizadora de la falta de comunicación entre los miembros de la familia, conduce precisamente a la cornisa rota.)

Juan, hablando con Adela: "Bueno, allá tú. El diablo que te entienda. *(Pasea fumando. Se fija en la grieta.)* Yo creo que esta grieta ha ensanchado. [...] *(La toca.)* Puede que se deba a los cambios de tiempo. *(Sigue la grieta con los ojos y mira a la cornisa.)* ¿Ha caído algún pedacito más de la cornisa?" (pág. 9).

Cuando Juan decide "volver sus cartas boca arriba" y tratar de rehacer su hogar, recoge simbólicamente un pedazo de la cornisa caída: "Está bien. En el despacho estoy. *(Se encamina, lento, hacia el foro. Se detiene en el umbral y se agacha para recoger algo. Con ello en la mano, mira hacia arriba.)* Otro pedacito de la cornisa... Habrá que llamar a los albañiles... algún día" (pág. 84).

La cartera gastada de Mauro simboliza su falta de ilusiones. Quien una vez tuvo un futuro lleno de posibilidades, duerme en parques públicos y vende libros que roba de casa de la hermana para subsistir malamente: "Trae bajo el brazo una cartera de cuero, grasienta y usada" (pág. 11).

Mauro no se separa de su cartera, llena de negocios imaginarios: "Se sienta junto a la mesa y deja su cartera, bajándose el cuello de la americana, que traía subido" (página 52). "Rehúye su mirada, busca su cartera y saca papeles donde empieza a tomar notas" (pág. 75). "Recostado en un brazo del sofá y con ojos de sueño, Mauro arregla su cartera para irse" (pág. 85).

Juan todavía tiene ilusiones de que va a ganar una cátedra, y también es asociado con una cartera, sólo que la de él no está todavía gastada como la de Mauro: "Por la izquierda del foro aparece Juan, vestido de calle, con una cartera de cuero bajo el brazo" (pág. 31); "Juan aparece, en silencio, por el foro, con su cartera bajo el brazo" (página 72).

La mudez de Ana tiene un doble significado simbólico, pues representa la falta de comunicación entre los distintos miembros de la familia, así como la conciencia de Adela, según puede verse en las palabras de esta última:

"Tuve que vencer la resistencia de Juan para traerte con nosotros, y te atiendo y procuro darte todos los gustos..., sin recibir otro pago que tu silencio. [...] Estás... resentida. [...] Tu actitud era un reproche más, como siempre" (páginas 35-36). "¿Qué necesidad tienes de convertirte en mi espía, ni de ir de un lado para otro haciéndolo todo a escondidas? [...] Callaste cada vez más..., hasta caer en tu mutismo de años. [...] ¡Por ti te pido que rompas tu silencio, que revivas! [...] ¿Me perdonas? [...] Te siento constantemente a mis espaldas. Sé que tus oídos me espían desde ahí [...] a todas horas. [...] ¡O acúsame, pero habla!" (págs. 46-49).

Más adelante Juan le dice a Adela: "Déjala [a Ana]. Es como un tribunal para todos. Y para ti, más que para nadie" (pág. 77).

Y Mauro también a Adela: "¿Cuál es tu milano? [...] ¿Anita? [...] ¿O sólo tu conciencia? [...] ¿O acaso..., acaso..., tu conciencia y Anita sean la misma cosa?" (página 86).

El volar de los pájaros, como se ha indicado, tiene un significado simbólico, pues representan los sueños de independencia y triunfo. Esta conversación entre Adela y Mauro lo muestra:

> ADELA. ¿Por qué te fuiste?
> MAURO. Nuestro padre se llevó un disgusto tremendo, ¿te acuerdas? Pero yo estaba hecho para volar...
> ADELA. *(Melancólica.)* Volar...
> MAURO. *(Se levanta.)* Y he volado lo mío, ¿eh? ¡Y aún me quedan alas! (Pág. 15).

Un poco más adelante Juanito suplica a Adela: "Tienes que ayudarme, mamá. No quiero retrasarme definitivamente, como le ocurrió a él. Todos los días piden el pasaporte cientos de muchachos. Necesitan respirar, como yo. Volar..." (pág. 23).

Y en la escena final del primer acto es Adela la que dice a Mauro: "Me encantaban [los pájaros] ya cuando era pequeña. Después de jugar, por las tardes, me sentaba a mirarlos... Me parecía que también yo, cuando fuera mayor, sería como ellos, libre y alegre" (pág. 29).

Finalmente, Adela a Anita: "Carlos Ferrer Díaz. *(Suspira.)* Ahora tiene el cabello gris. Pero quizá está más atractivo todavía, ¿verdad? [...] No se ha casado. [...] Pero ha volado, mientras nosotras envejecemos aquí oscuramente" (pág. 47).

En la escenografía de *Un soñador para un pueblo* pueden verse los primeros detalles simbólicos: el reloj del gabinete de Esquilache, el cual será destruido en la revuelta, simbolizando el detenimiento del avance del país debido a la acción de elementos conservadores; y los faroles, que simbolizan la lucha de Esquilache por educar al pueblo (página 9). Cuando ocurre el motín y el pueblo saquea la casa de este último, la acotación es la siguiente: "En el giratorio, el gabinete de Esquilache. Caídos en el suelo, el cuadro de Mengs, el reloj de la consola, uno de los sillones" (pág. 69).

El rey Carlos III y Esquilache, que representan el avance y la civilización, son los únicos personajes relacionados con la hora. En la escena donde aparece Carlos III, se ve la siguiente acotación: "Saca su saboneta y mira la hora" (página 57). Y un poco más adelante, en la misma escena: El Rey: "*(Esquilache se inclina. El Rey saca su saboneta.)* Un minuto de retraso. [...] Y el rey debe enseñar también a los españoles la virtud de la puntualidad" (pág. 58).

Casi al final del primer acto: "Esquilache deja el 'Piscator' sobre la mesa y saca su reloj" (pág. 66).

Unos momentos más tarde va a empezar el motín, con el consiguiente detenimiento del avance representado por las mejoras intentadas por Esquilache y el rey. Ello es simbolizado con unas campanadas: "Entre tanto, dan las ocho en un reloj lejano" (pág. 66).

El simbolismo de la luz y los faroles es el más obvio. En esta conversación se empieza a mostrar:

> ESQUILACHE. Créame, duque: no hay cosa peor que estar muerto y no advertirlo. Sus señorías lamentan que los principales ministros sean extranjeros, pero el rey nos trajo consigo de Italia porque el país nos necesitaba para levantarse. Las naciones tienen que cambiar si no quieren morir definitivamente.
>
> VILLASANTA. ¿Hacia dónde? ¿Hacia la Enciclopedia? ¿Hacia la "Ilustración"? ¿Hacia todo eso que sus señorías llaman "las luces"? Nosotros lo llamamos, simplemente, herejía. (Pág. 43).

Más adelante, Esquilache a Fernandita; "Somos como niños sumidos en la oscuridad. *(De pronto encienden en el exterior algún farol cercano y su luz ilumina a la pareja por el ventanal. Esquilache suspira y se separa suavemente.)* Mira. La oscuridad termina. Dentro de poco lucirán todos los faroles de Madrid. La ciudad más sucia de Europa es ahora la más hermosa gracias a mí. Es imposible que no me lo agradezcan. *(Un farolero aparece por la segunda derecha. Enciende el farol de la esquina, cruza, enciende el otro farol y sale por la segunda izquierda.)*" (Págs. 65-66).

Un poco más tarde los faroles son apagados por los amotinados, dejando el escenario completamente a oscuras. "Relaño sale rápido por la segunda derecha. Bernardo y

Morón van al centro de la escena y recogen algo del suelo. Tras la ventana del gabinete de Esquilache, la luz del farol se apaga. Entonces Bernardo y Morón, miman, uno tras el otro, el ademán de arrojar una piedra. Con secos estallidos, los faroles de escena se apagan a sus gestos. Oscuridad. TELÓN" (págs. 67-68).

Después que los amotinados han apagado los faroles, dice Esquilache a Fernandita: "Ya es de noche... Y muy oscura... Madrid no brilla como otras veces" (pág. 83).

Fernandita simboliza el buen pueblo español, y Bernardo el calesero el instinto retrógrado que refrena sus impulsos mejores. Fernandita confiesa a Esquilache:

> He tratado de olvidarlo, de aborrecerlo [a Bernardo]. Él representa toda la torpeza y toda la brutalidad que odio. ¡Es como el que mató a mi padre! ¡Y yo he querido salir de esa noche, de ese horror... y no puedo! ¡Yo he querido curarme con un poco de luz, con un poco de piedad! ¡Huir hacia su merced y hacia todo lo que su merced representaba! ¡Huir de ese infierno de mi infancia aterrorizada y asqueada por el asesinato! ¡Y no puedo! [...] y al fin... me pareció que un sentimiento nuevo y más grande me llenaba las entrañas... Una ternura nueva, limpia..., hacia un anciano bondadoso, triste, solitario... Y esa ternura no ha cesado... Pero ¿qué puede contra este demonio que me habita? [...] Y ahora está ahí, abajo. Es el enemigo de los dos. (Pág. 93).

Cuando Esquilache se enfrenta con Ensenada le dice que van a ser juzgados por "una insignificante mujer... del pueblo. [...] Una criada que puede juzgarnos a los dos. [...] No advierte que puede creer en lo más grande, en lo que yo creo: en ella misma. [...] Nosotros dos, que valemos menos que tú, te condenamos. El pueblo te condena. [...] ¡Envidia también mi locura, Ensenada! ¡Y vete! Ella te ha juzgado ya" (págs. 102-104).

El carácter simbólico de Fernandita, así como el de la luz, continúa desarrollándose cuando Esquilache le pide: "¡Ayúdame tú a ver!" A lo que responde Fernandita: "Yo también estoy ciega". A las palabras de Esquilache de "¡Condéname, Fernandita! [...] Pues perdóname entonces, si puedes, en tu nombre y en el de todos", ella responde: "Si yo tuviera que decir a su merced algo en nombre de todos, no sería una palabra de perdón, sino de gratitud" (págs. 104-105). Finalmente, Esquilache claramente dice que Fernandita representa al pueblo español:

> Tú sabes, Fernandita, que este anciano ridículo... te... quiere. [...] Y sufre al verte perdida en una pasión ciega... por un malvado. [...] Es la cruel ceguera de la vida. Pero tú puedes abrir los ojos. [...] Tú debes vencer con tu propia libertad. [...] ¡Creo en ti, Fernandita! El pueblo no es el infierno que has visto: ¡el pueblo eres tú! Está en ti, como lo estaba en el pobre Julián, o como en aquel embozado de ayer, capaz de tener piedad por un anciano y una niña... ¡Está, agazapado, en vuestros corazones! Tal vez pasen siglos antes de que comprenda... Tal vez nunca cambie su triste oscuridad por la luz... ¡Pero de vosotros depende! ¿Seréis capaces? ¿Serás tú capaz? (Pág. 106).

El símbolo, pues, es utilizado principalmente para dar corporeidad, tangibilidad, a los conflictos principales de la pieza: El reloj caído y el incidente de los faroles representan la paralización, debido a fuerzas conservadoras y ambiciosas, del avance de un país. Fernandita y Bernardo corporeizan la lucha de un pueblo entre sus buenos y malos instintos.

La luz vuelve a ser utilizada como símbolo en *Las Meninas,* donde representa la verdad y la esperanza, dos de las búsquedas constantes de Buero. Las siguientes escenas lo muestran: Cuando Pedro contempla el boceto del cuadro "Las Meninas", Velázquez le dice: "Esta tela os esperaba. Vuestros ojos funden la crudeza del bosquejo y ven ya el cuadro grande... tal como yo intentaré pintarlo. Un cuadro de pobres seres salvados por la luz... He llegado a sospechar que la forma misma de Dios, si alguna tiene, sería la luz... Ella me cura de todas las insanias del mundo. De pronto veo... y me invade la paz" (pág. 72). Cuando Martín le pregunta a Pedro en qué piensa, éste le responde: "En ese cuadro... No podrá pagarse con toda la luz del mundo" (página 80). Al final repite Martín las palabras de Pedro referentes al cuadro: "Pedro [...] decía: será una pintura que no se podrá pagar con toda la luz del mundo" (pág. 127). Y este mismo Martín, cuando comenta el *tableau* con que se cierra la obra, dice, refiriéndose a la infantita en la cual están cifradas las esperanzas de Velázquez de una España mejor: "La infantita calla. Aún lo ignora todo. Don Diego la ama por eso y porque está hecha de luz" (pág. 128).

Velázquez lucha consigo mismo. Quiere decirle la verdad y no se atreve. Esta lucha interna es simbolizada en su hábito de frotarse continuamente las manos: "Se toma [Velázquez] lentamente la mano izquierda con la derecha y se la oprime, en un gesto que Doña Juana no deja de captar" (pág. 25). "Oprime de nuevo su izquierda con su derecha. [...] Se vuelve a oprimir las manos" (pág. 26). Juana le dice: "Pero antes, Diego, yo era tu confidente. Me sentaba a tu lado como ahora *(lo hace)* y tú buscabas mi mano con la tuya... Míralas. Desde tu vuelta, se buscan solas" (pág. 26). Véanse, además, las siguientes escenas:

> VELÁZQUEZ. ¡No grites! Y escucha: tienes que aprender a estimar a ese hombre porque... porque... porque... es la persona que más me importa hoy en el mundo.
>
> D.ª JUANA. (*Grita.*) ¿Más que yo?
>
> VELÁZQUEZ. (*Se oprime con fuerza las manos.*) ¡De otro modo! ¡Yo te aclararé!
>
> D.ª JUANA. (*Señala llorosa.*) ¡Otra vez tus manos!... (Página 78).

> VELÁZQUEZ. (*Con una ironía desgarrada.*) ¡Tal como estáis, os pintaría en mi cuadro, primo! ¡Es justamente lo que buscaba! (*Ríe, y pasa sin transición al llanto.* [...]) Os pintaría... (*Se vuelve con la cara bañada en lágrimas.*) si yo volviera a pintar. (*Desesperadamente se oprime las manos.* [...])
>
> M.ª TERESA. Él dijo que vos debíais pintar. [...] (*Le desenlaza suavemente las manos y le da la paleta.*) (Páginas 126-127).

El símbolo es utilizado en *El concierto de San Ovidio* fundamentalmente en relación con el conflicto y tema de la pieza. Lo primero que se oye al comienzo son los rezos en latín de los ciegos del Hospicio durante la conversación de Valindin con la Priora, los cuales, amén de ambientar la obra e indicar la clase de lugar donde se desarrolla la acción, tienen un matiz simbólico al representar las fuerzas conservadoras, estáticas, opuestas a todo cambio. "Pater noster qui es in coelis [...] sed libera nos a malo. Amen" (página 8). El carácter simbólico de la ceguera y el rezo puede apreciarse por las palabras de la Priora un poco más tarde: "Dios no consiente la ceguera de estos trescientos desdichados para perder sus almas, sino para que ofrezcan oraciones por las calles, lo mismo que en los velatorios y las iglesias. [...] Ellos han nacido para rezar mañana y tarde, pues es lo único que, en su desgracia, podrán hacer siempre bien" (pág. 10).

La verdad es simbolizada en el teatro de Buero por la luz, la cual se define como "cualquier suerte de iluminación superior racional o irracional, que pueda distender o suprimir nuestras limitaciones" [2]. Y los que no pueden o quieren encontrar esta luz están "ciegos", lo cual tiene un doble significado simbólico: la ineptitud del hombre para desarrollar plenamente su personalidad, achacando sus fracasos a circunstancias adversas, en vez de culpar a sus propios errores y debilidades; y la ineptitud del hombre para encontrar la verdad metafísica, lo cual le impide encontrarle un significado a la vida. Como dice el propio Buero: "El propósito unificador de toda mi obra ha seguido siendo seguramente el mismo: el de abrir los ojos [3]. La ceguera simboliza los problemas del hombre en general, los cuales no podrán resolverse mientras haya fuerzas estáticas, negativas, como las de la Priora y Valindin. Por eso utiliza Buero una lengua muerta, estática, para el rezo y no el español, dándole así un alcance simbólico.

A David se le asocia con el "Concerto grosso" de Corelli, el cual simboliza sus sueños. Ello es indicado por unas palabras de Donato a Adriana: "Él sabe que hay una mujer... ¡Una mujer muy bella, señora! Tan bella como vos [...] Sabe que vive en Francia, y que está ciega. [...] Pues esa dama lee los libros y escribe. Y también lee y escribe música. Y habla muchas lenguas y sabe de números...

---

2 Buero, "Comentario" a *En la ardiente oscuridad*, 1.ª ed., Colección Teatro n.º 3 (Madrid, 1951), pág. 78.

3 "Sobre la tragedia", *Entretiens sur les lettres et les arts*, XXII (1963), página 53.

Su nombre es Melania de Salignac. [...] Yo sé que cuando él toca esa música... piensa en ella" (pág. 40). Y en el tercer acto le dice David a Adriana: "¡Pues sí, entérate! ¡Para ella hablo y para ella toco! Y a ella es a quien busco" (pág. 81). Un poco más tarde se dirige a Valindin: "Os decía que yo antes soñaba para olvidar mi miedo. Soñaba con la música, y que amaba a una mujer a quien ni siquiera conozco" (pág. 101). David aparece vinculado al concierto a través de toda la pieza (págs. 22, 30, 40, 42 y 96).

La obra termina con Valentín Haüy en escena, explicando cómo el concierto lo movió a dedicar su vida a los ciegos. Sus últimas palabras se refieren a la música como medio de expresión especial: "Cuando no me ve nadie, como ahora, gusto de imaginar a veces si no será... la música... la única respuesta posible para algunas preguntas" (pág. 113). Mientras dice eso, se oye el concierto, tocado esta vez por Donato, quien, como el Carlos de *En la ardiente oscuridad,* ha quedado impregnado con el aliento de esperanza del hombre de cuya muerte es responsable. "*(Comienza a oírse, interpretado por un violín, el adagio de Corelli. Haüy vuelve la cabeza y escucha.)* Él es. Nunca toca otra cosa que ese adagio de Corelli" (pág. 113).

David, como el matador de Goliat, derrota a un oponente que lo supera físicamente. Por ello su nombre tiene un matiz simbólico. Otro nombre simbólico es el de "Galga", apodo que da Valindin a su querida (igual nombre lleva el quiosco de la feria) y que simboliza el carácter frívolo de Adriana, quien lo engaña con Donato y planea irse con David.

Hay simbolismo en la ropa de Valindin por ser de tonos oscuros (pág. 8), lo mismo que ocurre con otros personajes "negativos" de Buero, como Nieto, el criado de Esquilache, Alejandro, Dimas y el rey Felipe IV. Además, siempre lleva una espada, la cual simboliza el poder de personas sin escrúpulo para hacer mal. En el acto primero dice Valindin a Adriana: "En la Marina se aprenden muchas cosas. [...] Gracias a eso llevo espada. *(Da un manotazo en el pomo.)*" (Pág. 26). En el acto segundo, cuando hablan la Priora y una religiosa del convento, a la pregunta de esta última de si Valindin es un caballero, responde la Priora: "Lleva espada" (pág. 75). En el tercer acto Bernier dice a David: "Todo es posible para quien lleva espada. Y el señor Valindin la lleva" (pág. 91).

El color es empleado con profusión en *Aventura en lo gris* con un alcance simbólico. Se usa inclusive en el título. Si bien algunos se reivindican al final, como Ana y Silvano, la obra está llena de personajes negativos, y la mayoría de ellos están vestidos de gris, como este último (págs. 9-10), Alejandro (pág. 10), Carlos (pág. 22), y Georgina (pág. 38).

Carlos mata a Alejandro, y Silvano y Ana son fusilados por los soldados invasores cuando cae el telón final. Y tanto aquél como éstos están conectados con el color rojo en la escena del sueño: "Carlos entra por el foro y va al centro de la escena. Viste exactamente las mismas prendas, pero todas ellas son ahora de vivo color rojo. [...] En las ventanas ha aumentado la claridad. Por la del foro asoma un soldado invasor —uniforme verdoso, cara roja, mirada exaltada bajo el casco de acero— y sonríe burlonamente, en silencio. No tardan en unírsele otros dos soldados iguales" (pág. 63).

Hay también en esta obra un simbólico jugar con los nombres. Los dos que usa el dictador de Surelia, el hombre práctico y materialista, representan sus ansias de poder. Se llama Goldman (hombre oro), y utiliza en la pieza el nombre falso de Alejandro.

Vuelve a emplear Buero la luz y la oscuridad como símbolos de la verdad y la mentira. Goldman usa gafas oscuras, que simbolizan su incapacidad para ver la verdad. Y en el primer acto habla de lo oscuro que está: "Está oscureciendo. [...] Habrá que encender las velas. Esto está muy oscuro" (págs. 40-41). Silvano se reivindica al final. Ello es simbolizado con la luz que va creciendo durante el acto hasta que en el momento de su muerte es abrasadora. La acotación del principio del acto es la siguiente: "Por las ventanas entra el pálido claror del alba, que va creciendo durante la acción" (pág. 74). Cuando Ana y Silvano van a ser fusilados la acotación es la siguiente: "Los rayos del sol están incendiando el exterior. [...] Los soldados elevan despacio sus armas, a punto de disparar. Pero Silvano y Ana están ya por encima de todo temor: ellos han vencido" (págs. 110-111).

En el sueño se ve a Silvano, el soñador, subido a un montículo, mientras que Ana le pide que baje, que deje de soñar. Silvano lo hace, representando con ello su reivindicación del acto tercero cuando por fin se decide a actuar. Y sobre el montículo donde se encuentra se ve una luz blanca que lo envuelve:

> *(Entre la mesa y el lateral derecho emerge ahora un raro montículo, de aristas unas veces geométricas y otras espermáticas, en el que destellan algunos irisados tonos minerales.* [...] *Después crece poco a poco una luz cenital blanca y fría, que desciende para iluminar la cima del montículo y deja el resto en penumbra.* [...])
>
> ANA. ¿Por qué no bajas?
> SILVANO. Déjame soñar. [...]
> ANA. Baja a soñar conmigo. [...] Él [Goldman] me dijo: "Despertarás". [...] Es un hombre de acción. [...]
> SILVANO. Él nunca sueña.

> ANA. [...] Él nunca sueña. Ni sabe hacer soñar. Lo devora todo. Me ha devorado. [...] Baja y te daré mis sueños. Él nunca los ha tenido. Si bajas, te los doy. ¡Baja! [...] Yo quiero dar. Él nunca da. (Págs. 60-62).

El estudio ha demostrado la enorme importancia que tiene el símbolo en los dramas de Buero Vallejo, siendo el más importante de ellos el juego simbólico luz-oscuridad.

Las tragedias de Buero están orientadas a ayudar al individuo para que encuentre un sentido a su existencia y al mundo en que vive. En casi todas las obras que hemos analizado se usan los símbolos de la luz y la ceguera en estrecha relación con el conflicto central de las mismas, que es "la lucha del hombre, con sus limitaciones, por su libertad" [4]. Lo que sus tragedias intentan es "abrirnos un camino de luz", para que el hombre "vea" la manera de alcanzar su pleno desarrollo y el medio de llegar a la verdad. De ahí que este juego simbólico sea la armazón abstracta en que se apoyan.

IRONÍA

Buero trata, en sus dramas, de encontrar soluciones, tanto vitales como metafísicas, a problemas básicos del hombre. Los conflictos de sus obras van, como hemos visto, desde el causado por el afán del individuo por encontrarse a sí mismo, hasta el que conduce a la búsqueda de una realidad extraterrena. Y en todas ellas (con excepción de *Madrugada)*, utiliza la ironía para lograr determinados efec-

---

[4] Buero, "La ceguera de mi teatro", *La Carreta*, n.º 12 (Barcelona, septiembre 1963), pág. 5.

tos, como en *El concierto de San Ovidio* y *La tejedora de sueños,* en los que tiene la misión, respectivamente, de aumentar el patetismo del espectáculo de los ciegos, y de hacer resaltar el conflicto interior de Penélope.

En dos obras suyas se ve la lucha del hombre por desarrollar su personalidad plenamente: *En la ardiente oscuridad* y *El concierto de San Ovidio,* ambas sobre ciegos. La primera pone de relieve la intensidad del conflicto por medio de la ironía. Cuando Ignacio, el rebelde que no se resigna a carecer de vista, llega al Centro para ciegos, dice don Pablo a los alumnos veteranos: "...al talento de ustedes, señoritas *(A Juana),* y al de Carlos, muy particularmente, recomiendo la parte más importante; la creación de una camaradería verdadera, que le alegre el corazón [a Ignacio]" (pág. 24). Pepita, su mujer, añade: "La cuestión se reduce a impregnar a ese Ignacio, en el plazo más breve, de nuestra famosa moral de acero" (pág. 24). Pero todo sucede al revés. El buen alumno mata al recién llegado; y éste, a quien iban a hacer cambiar, es el que empieza a convencer a los ciegos de que viven una existencia falsa. Además, la figura de Carlos se hace más dramática al quedar lleno de la ansiedad de su víctima, como insinúa Pepita y confirma él (págs. 78, 79).

En *El concierto de San Ovidio,* por su parte, se utiliza el procedimiento, como hemos dicho, en relación con los ciegos y, además, para poner énfasis en la maldad de Valindin. El sueño de David es que los ciegos se superen, aprendan un oficio y se ganen la vida decorosamente. Cuando se entera de la propuesta del empresario, trata de convencerlos de que deben aceptarla. Ignora cuál es su verdadero propósito, y que él se va a oponer después ardorosamente a que se lleve a cabo la farsa. He aquí sus palabras:

> Si pensáis en vuestros violines os come el pánico. ¡Tenéis que decir sí a vuestros violines! *(Va de uno a otro, exaltado.)* Ese hombre no es un iluso; sabe lo que quiere. Adivino que haremos buenas migas. Él ha pensado lo que yo pensaba, lo que llevaba años madurando, sin atreverme a decirlo. (Pág. 19).

En la feria, Valindin se dirige al público tratando de ganar su atención. Lo mentiroso de sus palabras aumenta el impacto que produce la maldad de su proceder:

> ¡Vean a los músicos ciegos, el espectáculo más filantrópico de todo París! [...] ¡Damas y caballeros, hemos pensado muchos años en un espectáculo que fuese digno de vuestro mérito [...]! ¡Un espectáculo humanitario, científico, alegre! ¡A vuestro superior e inapelable fallo sometemos con toda humildad... la maravillosa orquestina de los ciegos! (pág. 67).

Adriana explica a los ciegos que los midieron para hacerles los vestidos. El de Gilberto, el meningítico, será el más ridículo y grotesco de todos, y él irá montado sobre un pavo real, símbolo de la necedad. Le dice, sin embargo, a ella: "¡Pero el mío será el más lindo de todos! [...] Yo me encaramo a mi pájaro como si fuese el catre del Hospicio. Señora Adriana, ¿verdad que han hecho el pájaro porque yo soy el pajarillo?" (pág. 50). El casco que lleva durante la función tiene dos orejas de asno, que fueron las que le salieron al rey Midas por imbécil, como explica David. Pero Gilberto cree que es una corona de rey y se la pone con suma alegría: "¡Y ahora, mi corona! [...] ¡Dos alas hermosas para el pajarillo!" (pág. 60).

Historia de una escalera es un drama de fracasados. Sus personajes, maniatados por su falta de voluntad, no pueden salir de la atmósfera opresora en que viven, sólo sueñan con hacerlo. La posibilidad de que lo mismo suceda a los hijos, por motivos similares, es acentuada irónicamente en la última escena, en que Fernando, hijo, le dice a Carmina, hija:

> No te dejes vencer por su sordidez [la de sus padres]. ¿Qué puede haber de común entre ellos y nosotros? ¡Nada! Ellos son viejos y torpes. No comprenden... Yo lucharé para vencer. (Pág. 68).

Unos momentos más tarde repite las palabras que dijera su padre treinta años antes, cuando soñaba también con triunfos que nunca alcanzó:

> Primero me haré aparejador. ¡No es difícil! En unos años me haré un buen aparejador. Ganaré mucho dinero y me solicitarán todas las empresas constructoras. [...] Entonces me haré ingeniero. Seré el mejor ingeniero del país y tú serás mi adorada mujercita... (Pág. 69).

Las cartas boca abajo es igualmente un drama de fracasados. Ni Adela ni los otros miembros de su familia han podido ser felices debido fundamentalmente a su insinceridad y a su carácter abúlico. Es con el juego simbólico-irónico del canto de los pájaros (véanse las págs. 72 a 73), con lo que se da corporeidad al tema de la obra. Si los pájaros son la representación de los sueños de Adela y su familia, el error que comete ella al interpretar sus gritos pone énfasis en lo equivocado de su proceder.

La falta de sinceridad es también la razón por la cual Silverio y Pilar, en *Hoy es fiesta,* no han sido felices. Él tuvo la culpa, por su negligencia, de que muriera la hija de Pilar. Ella, sin embargo, ve en Silverio el único aliciente de su vida:

> Es como si detrás de todas las cosas hubiese una sonrisa muy grande que las acariciase. [...] Y esa sonrisa que veo en las cosas es la tuya... La tuya, que ha hecho que todo sea risueño para mí. (Pág. 38).

La tejedora de sueños es una obra de matices éticos. Está basada en el conflicto interior de Penélope, quien se debate entre sus deberes de reina y esposa, y sus deseos de mujer insatisfecha. Con ello su tejer y destejer adquiere un nuevo significado simbólico, al representar su lucha interna. Además, ella siempre está riéndose y lamentándose al mismo tiempo, porque al tejer y destejer consigue no tener que escoger a ninguno de los pretendientes, pero ello también le impide escoger a Anfino, el hombre que ama.

La pieza comienza con el coro de esclavas entonando una melopea poética:

> Penélope es la estrella que luce en el palacio. [...] Ella es la araña de oro que teje nuestra dicha. [...] Artífice es de gracias, riquezas y alegrías. (Pág. 8).

Ella no es una "artífice de gracias, riquezas y alegrías", sino todo lo contrario. Su tejer por el día y destejer por la noche provoca que nadie sea feliz en el palacio.

Las últimas palabras de la obra, dichas también por el coro, expresan igualmente lo contrario de la situación, pues Buero ha dado un matiz distinto a la leyenda, al hacer desastrosa, para los sueños de Penélope, la vuelta de Ulises. Con ello pierde a Anfino para siempre. He aquí las palabras del coro:

> Penélope es el nombre de la reina.
> Ejemplo es, para siempre de la esposa.
> Ella teje sus sueños hogareños
> y en su modestia irradia lozanía... (Pág. 74).

En una escena con Euriclea, Penélope habla de Helena en una forma peyorativa:

> ¡A esa mujerzuela, a esa perdida! Hace veinte años que se le ocurrió sonreír a otro que no era su esposo... ¡Allá fueron los jefes de Grecia entera! Nosotras no éramos nada para ellos. (Pág. 29).

Las razones que da para expresarse en esos términos sobre la mujer de Menelao son precisamente las mismas por las cuales la envidia: el hecho de que los hombres luchen por ella y vayan a la guerra. Además, está criticándola por algo que ella misma está haciendo: coquetear con un hombre que no es su esposo.

Las palabras en la arena es un drama fundamentalmente ético. Está basado en el choque de dos actitudes: la de Cristo, que perdona los pecados, y la de Asaf, para quien el castigar tiene una importancia maniática.

Una fuerte ironía dramática se produce en esta obra al oír el público, conocedor de los amores adulterinos de la esposa de Asaf, expresarse a éste en términos de violencia extrema contra la pecadora protegida por Cristo:

> Y allí quedó la mujerzuela que merecía la muerte. [...] Hay que conseguir que Roma nos deje matarle [a Cristo] o que el pueblo lo mate a pedradas, como habría hecho hoy con la mujer [la adúltera] si no es por él. (Págs. 80-81).

Cuando cree que la fenicia ha tenido amoríos con el centurión, le dice: "¡Lapidada deberás ser como la adúltera de esta mañana!" (pág. 88). Más tarde, siguiendo sus propios principios, mata a su consorte.

Otro de los temas éticos que se encuentran en Buero, como hemos visto, es el de los deberes del hombre con la sociedad a que pertenece, que sirve de base a *Un soñador para un pueblo, Las Meninas* y *Aventura en lo gris.*

La primera de ellas está permeada por una profunda ironía: Ensenada trata de volver al poder, y después de arruinarse solventando la revuelta todo lo que consigue es que el rey lo destierre de la corte; Carlos III, presentado por Buero como un rey justiciero, se ve obligado a enviar al exilio al que consideraba uno de sus mejores ministros. Esquilache, que lo único que quería era el bienestar de los españoles, dicta una orden: el famoso decreto de las capas largas y sombreros gachos, que en definitiva era beneficioso para el país (y que luego fue implantado sin ningún problema), y provoca un motín, el cual se inicia el domingo de Ramos, que se supone que sea un día de paz y sosiego. Y tanto él como Ensenada, los grandes señores, son simbólicamente juzgados por la humilde Fernandita, representante del buen pueblo español.

La ceguera moral de Felipe IV y su corte se hace patente en *Las Meninas* por medio de la ironía. Se pone especial énfasis en que Pedro está ciego. Es descrito de la siguiente manera: "Vencido por la edad y casi ciego, se ha recostado contra el lateral" (pág. 11). Al encontrarse con Velázquez, le dice: "¿Sois vos don Diego? No veo bien" (pág. 53). Cuando comenta la famosa pintura con Martín éste le responde: "¡No sé cuántas simplezas te tengo oídas ya de ese cuadro! ¿Qué sabes tú de él, si ves menos que un topo?" (pág. 80).

Y sin embargo Pedro es el único que "ve" el cuadro de Velázquez, el único que lo interpreta correctamente:

> Sí, creo que comprendo. *(Velázquez emite un suspiro de gratitud.)* Un cuadro sereno: pero con toda la tristeza de España dentro. Quien vea a estos seres comprenderá

lo irremediablemente condenados al dolor que están. Son fantasmas vivos de personas cuya verdad es la muerte. Quien los mire mañana, lo advertirá con espanto. (Pág. 71).

Goldman es la contrafigura de Silvano en *Aventura en lo gris*. Este último, como se ha apuntado, es un soñador que cree que el hombre se debe a la sociedad en que vive, aunque hasta ahora no ha llevado a la práctica sus ideas. Goldman es el gobernante corrompido al que sólo interesa el lucro personal. La ironía ayuda a caracterizarlo:

En un letrero de la escenografía del primer acto se lee: "GOLDMAN NOS DICE... COMBATIENTES DE SURELIA: ¡NI UN PASO ATRÁS!" (pág. 9). Cuando llegan él y Ana al refugio, huyendo, dice ella: "¡Ni un paso atrás! *(Ríe levemente.)* Todavía estás a tiempo; piénsalo. Un solo paso atrás y cruzas la frontera" (pág. 11).

Carlos tiene una fe ciega en Goldman, y dice, refiriéndose a él: "Habría salvado a Surelia si le hubiesen dejado las manos libres. Y él es el único, ¡el único!, que ha sabido morir en su puesto, en lugar de huir..., como el resto de los ministros" (pág. 33).

Silvano finalmente triunfa, pero esta victoria le cuesta cara y es de naturaleza ambivalente, paradójica [5]. Para conseguirla tiene que sacrificar su vida. Le dice a Ana, que muere con él:

> Aún tenemos que lograr algo en esta vida; aún estamos vivos. [...] Pero hay otras maneras de vencer. [...] Tú lo conseguiste, Ana mía. [...] ¡Sí! ¡Esto es vencer! (Páginas 106-111).

---

[5] Véase sobre esto el artículo de Robert E. Lott, "Functional Flexibility and Ambiguity in Buero Vallejo's Plays", *Symposium*, verano 1966, páginas 150-162.

La acotación señala su victoria, como se ha apuntado (véase la pág. 82).

La fe, según Buero, es un elemento *sine qua non* de la tragedia, la cual plantea "la condición humana de la duda y la fe en lucha, en la que ellas mismas se apoyan" (véase la pág. 22).

Esta batalla es la que se produce en *La señal que se espera*. La falta de fe de Enrique es puesta de manifiesto irónicamente. Le dice a Susana, refiriéndose a la carta anunciando su bancarrota:

> Has olvidado la carta. Es el único correo que podemos ya esperar..., y llegó hace días. [...] En ella está el final de todo esto. [...] con ella, todo termina. (Pág. 62).

Susana muestra su equivocación:

> *(En un grito de triunfo.)* ¡No! Mira a tus espaldas. *(Él se vuelve. [...] Bernardo levanta en el aire dos cartas.)* [...] ¡Ahora todo puede comenzar, Enrique! (Pág. 62).

Las cartas que llegan satisfacen la esperanza de Julián y la de los criados; la que tiene Enrique servirá para demostrar que Susana no se casó con él por su dinero, como pensaba.

El poder de la fe para cambiar a una persona es una de las ideas centrales de *Casi un cuento de hadas*. Leticia, la tonta, la que no encuentra quien pida su mano por la fama de poco inteligente que tiene, a pesar de ser muy bonita e hija de reyes, y de la cual dice su madre que "no comprende nada" (pág. 9), es irónicamente la única, debido a su fe, que puede ver la belleza de Riquet.

En *Irene o el tesoro* se usa un procedimiento similar. Irene habla de la oscuridad en una escena con Sofía: "Pero la oscuridad me vence. ¿No lo ves? Todo está oscuro" (página 24); así como en una con Daniel (pág. 30). Y en un pequeño monólogo dice: "Dios mío, si es verdad que tú puedes dar el consuelo que cada uno necesita, alíviame esta horrible oscuridad y dame el mío... pronto" (pág. 34). Ella, sin embargo, es la única que puede ver al duende y presenciar sus juegos de luces.

En una escena con Irene, Daniel dice que quiere salvarla de la melancolía en que la ve sumida, que quiere mejorarle la vida. Pero a ella lo que le interesa es alejarse de la realidad. Con el esposo y el hijo muertos, y con la vida que lleva en casa de Dimas, lo único que puede hacerle la existencia un poco agradable es soñar, encerrarse en el mundo de sus novelas maravillosas, con sus duendes y tesoros. Daniel tiene que hacer exactamente lo contrario: dejar de soñar, aprender a enfrentarse con la vida. De ahí el carácter irónico de sus palabras (pág. 29).

A fin de conseguir encerrar a Dimas en el sanatorio, Campoy le dice que tiene que ir personalmente a hacer la solicitud para Irene. El usurero, para comprobar si tiene razón, se vuelve hacia Méndez, quien lo ha planeado todo, y le pregunta: "¿Es así?" (pág. 87). Acto seguido busca las llaves de la casa en el bolsillo y no las encuentra. Dice entonces, aumentando el patetismo del momento: "Bueno, como vuelvo en seguida..." (pág. 87).

Cuando Juanito duda de si verdaderamente existe, La Voz le responde:

> Para la loca sabiduría de los hombres, tú y yo somos un engaño. Pero el mundo tiene dos caras... Y desde la nuestra, que engloba a la otra, ¡ésta es la realidad! ¡Ésta es la verdadera realidad! [...] ¡El tesoro es ella! Tú viniste por ese tesoro y me lo vas a traer ahora mismo. (Pág. 91).

Al final canta Irene esta canción:

> Juntos soñemos
> con la vida dormida;
> los buscaremos,
> *los buscaremos* [6]
> y encontraremos... (Pág. 94).

Compárese con las palabras de La Voz acerca de cuál es la verdadera realidad. Esa "vida dormida" de que habla ella puede ser la realidad más genuina, pues es la de nuestros sueños e ilusiones, mucho más verdadera que la que se pudiera llamar "despierta". Juanito y La Voz pueden representar, como dice Buero:

> la más consistente realidad de cuantas realidades componen la obra y pueden conferirle el carácter transcendente, de sutil conciliación con el misterioso sentido del mundo, que parece ser la última consecuencia posible de este género [7].

A pesar de que la temática de estas obras, como hemos visto, es amplia y compleja, y comprende problemas de muy distinta índole y naturaleza, en todas ellas existe un elemento común: el uso de la ironía como elemento dramático, especialmente como recurso expositivo; y en ese caso, o bien relacionada con el desarrollo del argumento y la presentación del tema, como en *La señal que se espera* y *Las cartas boca abajo*, o con la caracterización de los personajes, como en *El concierto de San Ovidio* y *Aventura en lo gris*.

---

[6] Así aparece en el texto. Según carta personal de Buero, no publicada, sólo hay un "los buscaremos".

[7] "Comentario" a *Irene o el tesoro*, 1.ª ed., Colección Teatro n.º 121 (Madrid, 1955), pág. 121.

También se utiliza para aumentar la intensidad o impacto del conflicto, como en *Las palabras en la arena* y *En la ardiente oscuridad*; y finalmente, en *Irene o el tesoro*, pone énfasis en el alcance metafísico de la obra.

CONTRASTE DE PERSONAJES

En todas las obras de Buero Vallejo puede verse un marcado contraste, bien entre dos personajes, bien entre uno o más personajes con todo un grupo. La única excepción es *Historia de una escalera*, pues los protagonistas de ésta, Urbano y Fernando, sólo tienen como diferencia la actitud más realista de Urbano, que contrasta ligeramente con la soñadora de Fernando.

El tema de *Las palabras en la arena*, como hemos visto, es la diferencia entre la actitud ética de Cristo que perdona los pecados, y la de Asaf, representativa de la dura ley hebrea del talión. Contrastando a estos dos personajes, aun cuando uno de ellos, Cristo, no aparece en escena, Buero hace más patente el tema de la obra. El contraste se muestra claramente en las palabras de Asaf: "¡La ley de Moisés es terminante! Y tú hablas lo mismo que el galileo, igual que ese agitador peligroso, que quiere destruir los hogares y perdonar, ¡siempre perdonar!. Pero perdonando no puede haber familia, ni mujer segura, ni hijos obedientes, ni estado, ¡ni nada!" (pág. 85).

Por medio del contraste de los dos personajes principales de *En la ardiente oscuridad*, Carlos e Ignacio, Buero hace que su caracterización sea más efectiva y muestra más claramente la lucha que sostienen. Los contrapone físicamente hasta en la ropa: "Carlos y Juana ocupan los sillones de la izquierda. Él es un muchacho fuerte y sanguíneo, de agradable y enérgica expresión. Atildado indumento en color claro, cuello duro" (pág. 8). "Por la derecha, tanteando el suelo con su bastón y con una expresión de vago susto, aparece Ignacio. Es un muchacho delgaducho, serio y reconcentrado, con cierto desaliño en su persona: el cuello de la camisa desabrochado, la corbata floja, el cabello peinado con ligereza. Viste de negro intemporalmente, durante toda la obra" (pág. 11).

Ignacio no se contenta con lo que tiene, como muestra cuando dice que si pudiera ver las estrellas, querría alcanzarlas (pág. 62). Carlos es un conformista. Su distinta actitud se hace patente en las siguientes escenas:

> CARLOS. ¡Quieres decir con lo que nos has dicho que los invidentes formamos un mundo aparte de los videntes? [...] ¡Pues no es cierto! Nuestro mundo y el de ellos es el mismo. [...] ¿No hacemos deportes? *(Pausa breve.)* ¿No amamos, no nos casamos?
>
> INACIO. *(Suave.)* ¿No vemos? [...]
>
> CARLOS. No sabes aún lo grande, lo libre y hermosa que es nuestra vida. [...] ¡Lo que te hace tropezar es el miedo, el desánimo! Llevarás el bastón toda tu vida y tropezarás toda tu vida. ¡Atrévete a ser como nosotros! ¡Nosotros no tropezamos! (Págs. 41-42).

> CARLOS. *(Con impaciencia reprimida.)* Procuraré explicarme. Ya que no pareces inclinado a abandonar tu pesimismo, para mí merece todos los respetos. ¡Pero encuentro improcedente que intentes contagiar a los demás! ¿Qué derecho tienes a eso?
>
> IGNACIO. No intento nada. Me limito a ser sincero, y ese contagio de que me hablas no es más que el despertar de la sinceridad de cada cual. Me parece muy conveniente, porque aquí había muy poca. ¿Quieres decirme, en cambio, qué derecho te asiste para recomendar constantemente la alegría, el optimismo y todas esas zarandajas?

CARLOS. Ignacio, sabes que son cosas muy distintas. Mis palabras pueden servir para que nuestros compañeros consigan una vida relativamente feliz. Las tuyas no lograrán más que destruir; llevarlos a la desesperación, hacerles abandonar sus estudios. (Pág. 48).

En *La tejedora de sueños,* por medio del contraste entre Anfino y los pretendientes, y entre aquél y Ulises, se ponen de manifiesto tanto los defectos de los pretendientes y de Ulises, como las virtudes de Anfino. El materialismo y espíritu práctico y egoísta de aquéllos se hace más visible, mientras que, por el contrario, se agiganta la figura, el idealismo, de este último.

Cuando hacen su aparición los pretendientes, se marca el contraste de Anfino con los demás: "Por la derecha aparecen los pretendientes: Antinoo, Eurímaco, Pisandro y Leócrito. Tras ellos, melancólico y sereno, Anfino, el quinto pretendiente. Nada más entrar, se paran al ver al mendigo, y éste saluda. Entonces Antinoo —un joven guapo y presuntuoso, que viene completamente borracho— se le acerca y le pone, con gravedad de beodo, la mano en el hombro. Anfino se separa del grupo y va a recostarse en la esquina del templete" (pág. 19).

Todos los pretendientes, menos Anfino, se llevan una esclava a la cama todas las noches. Él prefiere "intentar todas las noches, pensando en ti [Penélope], el bajo oficio de poeta" (pág. 27). Y el único que se enfrenta a la muerte con serenidad es Anfino. Dice a Ulises, cuando éste le muestra la flecha destinada para él: "¡Es justo, Ulises! ¡La espero! [...] ¡No quiero piedad!" (pág. 65).

Ulises es el hombre de acción, el de mente práctica que no permite que ningún escrúpulo se interponga en su camino, pero que por otra parte no tiene imaginación, no puede soñar. Anfino, por el contrario, es el hombre contemplativo, el idealista puro y desinteresado que sueña, pero no actúa. El contraste empieza a apuntarse cuando Anfino le dice estas palabras a Penélope: "Tienes razón: soy débil y apocado. La orfandad y la desgracia me han hecho así. No me atrevía a creer... Y tampoco fui capaz de urdir ningún medio para librarte de esos cuatro. Tengo que pasar ahora la vergüenza de oír que tú lo has hecho por mí. Perdóname. Yo sólo sé luchar cara a cara..." (página 42).

En el acto tercero se produce una confrontación entre los dos hombres. Anfino habla así: "Yo defendí a Penélope, Ulises. Pero acepto morir a tus manos. Me matas porque tú estás muerto ya; acuérdate de lo que te digo. [...] La muerte es nuestro gran sueño liberador..." (pág. 65).

Penélope muestra claramente la extrema diferencia entre los dos hombres cuando dice a Ulises:

> *(Afirmando.)* ¡Temías! *(Señalando al patio.)* Él no temía. Ese inmenso corazón que tú has roto adoraba mi juventud y mi hermosura... ¡Sólo habrías tenido una manera de ganarle la partida! Tener la valentía de tus sentimientos, como él; venir decidido a encontrar tu dulce y bella Penélope de siempre. Y yo habría vuelto a encontrar en ti, de golpe, al hombre de mis sueños [...] tú naciste viejo. Pero yo seré siempre joven, ¡joven y bella en el recuerdo y en el sueño eterno de Anfino! Y ahora te queda tu mujer, sí, a los ojos de todos: pero teniéndome no tienes ya nada, ¿me oyes? ¡Nada! (Pág. 71).

El principal contraste de *La señal que se espera* es entre Enrique y Luis, con lo que se pone énfasis en la característica negativa de aquél de carecer de fe, y en la positiva de éste de tenerla. Luis, lleno de fe, cree firmemente que la señal sonará, pero Enrique habla despectivamente de los que la esperan: "Dentro de poco llegará el turno de éste... y de sus creyentes. [...] Menos mal que tú y yo conservamos la cabeza firme" (pág. 11).

La siguiente escena es del segundo acto:

> ENRIQUE. [...] ¡Te quedas solo! Solo, porque yo lo quiero. ¡Y ni tú mismo pisarás el jardín! Yo lo impediré. Y mañana desmontaré el arpa. [...] ¡Nunca la verás ya [a Susana]! Mañana saldrás de aquí. La defenderé de ti por la fuerza, ya que es lo único que me queda.
>
> *(Pausa.)*
>
> LUIS. Ésta es la ocasión en que un hombre cae... si la fe no le sostiene. Y yo no desfallezco... [...] El jardín está solitario. Los dedos invisibles de Dios pueden, ahora, concederme mi melodía... Qué absurdo, ¿verdad? ¡Pero creo! ¡Si el jardín está solo, también está rodeado de una gran fe! (Págs. 48-49).

Más adelante, dice Enrique a Susana: "Porque no te digo esto como reproche, sino como una amarga piedad por todos nosotros, condenados a vivir en este mundo ciego y triste, sin señales [...] Te irás con tu hipocresía y tus misterios, que no creo ni acepto. Yo no necesito misterios, sino claridad. [...] Ahogaré mi cariño dentro de mí, cueste lo que cueste. Sin fe, sin alegría, solo y sin prodigios..., resistiré" (págs. 59-61).

El contraste de personajes es también factor caracterizador en *Casi un cuento de hadas*. Las hermanas Laura y Leticia son opuestas en todo. Si aquélla es inteligente y fea, ésta es tonta y bella. Véase esta escena:

LAURA. Siempre dicen que es un placer estar conmigo a causa de... mi talento. [...] ¿Para qué quiero tus magias, si no puedes darme ni una pizca de belleza? [...] Mírala. Nadie diría que somos mellizas. ¡Ella se llevó toda la belleza! ¡Toda la belleza que hubo que repartir entre las dos!

ORIANA. Tú te llevaste el ingenio...

LAURA. ¿Me lo llevé? ¡No lo quiero! ¿De qué me sirve? [...] *(Se vuelve hacia su hermana, exaltada.)* ¡Dame la belleza que me has quitado! ¡A ti tampoco te sirve! ¡Dámela! ¡Es mía!

LETICIA. *(De repente.)* ¡Tómala toda y dame tu talento! (Pág. 17).

Para hacer más marcado su propósito de contraponerlas, Buero las hace aparecer continuamente una después de la otra (págs. 13, 16, 32, 36, 48, 50, 54, 58 y 64).

Otro contraste de esta obra es entre Armando y Riquet. Su aspecto físico es totalmente diferente, hermoso uno y horriblemente feo el otro. He aquí la descripción de Riquet: "Por la izquierda del mirador aparece en este momento una extraña figura. [...] Ahora vemos mejor su cara, cercana a la más horrible fealdad. Su apostura deja también bastante que desear: mal constituido, cargado de espaldas. No es, sin embargo, ridículo, sino pavoroso, y en su expresión y ademanes se trasluce a veces la inteligencia y la nobleza más grandes" (pág. 19). Compárese con la de Armando (y obsérvese que si Riquet entró por la izquierda, Armando lo hace por la derecha): "Por la derecha, hecha mieles, entra la reina del brazo de Armando, señor de Hansa. [...] El señor de Hansa es un gallardo mancebo de socarrona sonrisa y amanerados ademanes, lujosamente ataviado, que juega constantemente con un pañuelito de encaje" (págs. 48-49).

La actitud de Armando con respecto al amor es totalmente distinta de la de Riquet. Dice aquél: "Los príncipes se casan por muchos motivos, Leticia... Entre ellos, el cariño es una cosa distinta... y más sensata que entre los simples menestrales. [...] Os lo diré de otro modo, ya que dudáis de mí. ¿Queréis autorizarme para que solicite de sus majestades la celebración de nuestros esponsales? [...] La noticia es demasiado importante para retardarla. Han de alegrarse mucho, por las ventajas políticas del enlace" (págs. 53-54). Riquet habla del amor en estos términos: "No puede haber amor sin ilusión. Nuestra vida sería un infierno. [...] Es tu cuerpo lo que ofreces y no tu alma. Buscas el brote de una ilusión imposible... o de una fiebre perversa que nos haga gustosa la fealdad. [...] Confío en los recuerdos de Leticia" (págs. 57-58).

La Amalia de *Madrugada* pertenece, como se ha señalado, a la galería de personajes buerianos a los que sólo interesa conocer la verdad. Su contrafigura es Leonor, a quien únicamente preocupa el dinero. El contraste puede verse comparando estas dos escenas (en la segunda es Lorenzo el que se enfrenta a Amalia):

> LEONOR. (Con repentino optimismo.) ¡Ea, hay que alegrarse! ¡Todo pasará! ¡La hemos vencido! *(Se acerca a Lorenzo y hace sonar sus pulseras junto a su oreja.)* ¡Despierta, marmota! ¡La hemos vencido! *(Lorenzo se despabila.)* ¡Vamos a ser ricos, Dámaso! (Pág. 63).

> LORENZO. Bien... Supongo que debo marcharme. La madrugada ha sido dura y baldía. Usted nos ha vencido. No era difícil, con el dinero a sus espaldas.
>
> AMALIA. No era el dinero lo que estaba a mis espaldas.
>
> LORENZO. *(Sardónico.)* ¡Ah! ¿No? ¿Qué era?
>
> AMALIA. *(Muy dulce.)* El amor.

> LORENZO. *(Su cara se nubla, como si su sola mención le disgustase.)* No le digo que no. Usted es de esos pocos que piensan que hay cosas más importantes que el dinero. *(Con desprecio mal disimulado.)* Feliz usted. (Pág. 78).

Irene está estrechamente conectada con los elementos sobrenaturales de *Irene o el tesoro*. Tiene como contrafigura a Dimas, quien representa la dura y seca realidad, el mundo lleno de fealdad y materialismo. Irene, además, tiene que contrastar con Dimas, porque es precisamente el choque con el mundo representado por éste el que produce su locura, su escape hacia los sueños. Por eso Buero presenta a éste como un personaje lombrosiano, con determinadas características físicas indicadoras tanto de la clase de hombre que es como de las aparentes causas genéticas de su duro proceder: "Dimas puede tener sesenta años. Una bata gris, deslucida por todas partes, cubre su mezquino tórax. Pantuflas muy gastadas en los pies. Gafas, montadas en acero, sobre sus inquisitivos ojos, y una brillante calva, un tanto apepinada, que muestra bien a las claras la línea totalmente falta de nobleza de su pequeño cráneo" (página 14). La intención de contrastarlo con el mundo de Irene puede verse claramente si se compara esta descripción con la de Irene (pág. 8) y especialmente con la de Juanito: "Un gentil duendecito de pecosos mofletes y ágiles piernecillas, enfundado en su medieval atuendo verde. El capirote oculta sus rizados cabellos, y a la cintura lleva una voluminosa escarcela" (pág. 25).

El contraste de personajes más importante de *Hoy es fiesta* es el que se produce entre Silverio y Pilar y los demás personajes, que hace resaltar a aquéllos. Pilar y Silverio son más distinguidos, como señala Balbina: "Modesto que es usted [a Silverio]. A la legua se ve que usted y su señora son gente distinguida" (pág. 27). Él mismo lo señala: "He querido engañarme a mí mismo creyéndolo... abandonando mis ambiciones y refugiándome entre estas gentes humildes para intentar ser uno más entre ellos" (pág. 67).

He aquí cómo reacciona Silverio ante la estafa de Balbina, mientras que los demás vecinos se enfurecen y quieren denunciarla a la policía:

> ¡Calma! Fidel. *(Fidel se levanta sorprendido.)* ¿Quiere pedir a todos los vecinos, en mi nombre y... *(Recalca.)* en el de estas dos pobres mujeres, que perdonen a doña Balbina y que devuelvan las papeletas? [...] Igual que ustedes: nada. Total: una semana de estrechez por el aparatito que he tenido que romper... No importa. Pero si se refiere a las participaciones... *(Saca una papeleta del bolsillo.)* También yo tenía dos pesetillas en ese número. O quince mil, si prefiere la contabilidad de la señora Tomasa. *(Rompe el papel, mirándolas.)* ¡Que el cielo me libre siempre de jugar con la miseria del pobre! *(Las comadres se miran avergonzadas.)* (Pág. 86).

En *Las cartas boca abajo* el contraste de personajes sirve para poner de manifiesto el carácter de Juan y su familia y la razón de su fracaso en la vida. Ahora bien, es de un tipo especial, pues se les contrapone a Ferrer, que es el único que ha conseguido lo que ha querido. Pero aunque se habla mucho de él, no aparece nunca en la obra.

La lucha que se entabla en *Un soñador para un pueblo* es entre las fuerzas progresistas que desean el bienestar de España, y las retrógradas que, llenas de ambición, sólo desean el bienestar personal. Las primeras son representadas por Esquilache, y éstas por Ensenada. De ahí que los dos sean fuertemente contrastados. La primera diferencia que se apunta es en el vestir. Ensenada "viste lujosa casaca bordada" (pág. 17). La acotación sobre Esquilache es la siguiente: "Su vestido es rico, pero sobrio" (página 19).

Vuelven a oponerse en su opinión sobre el pueblo español. Ensenada dice a Campos, el secretario de Esquilache: "El español es desequilibrado. En mi tiempo lo aprendí bien. [...] ¿Qué se puede hacer con un pueblo así?" (página 18). Casi en seguida se desarrolla esta conversación:

> ENSENADA. Recuerda nuestra divisa: "Todo para el pueblo, pero sin el pueblo". El pueblo siempre es menor de edad.
>
> ESQUILACHE. *(Lo mira con curiosidad.)* No me parece que les des su verdadero sentido a esas palabras... "Sin el pueblo", pero no porque sea siempre menor de edad, sino porque todavía es menor de edad.
>
> ENSENADA. *(Sonríe.)* No irás lejos con esas ilusiones. Yo las perdí hace veinte años. (Pág. 23).

Al final de la obra vuelven a ser comparados los dos estadistas, esta vez en su distinta ambición y fe (páginas 102-103).

En *Las Meninas,* Velázquez, el buscador de la verdad, de la "luz", es contrastado con Nieto, Nardi y el rey Felipe IV, los cuales están "ciegos", los rodea la oscuridad, la mentira, son incapaces de apreciar el mensaje de los cuadros de Velázquez. Para contraponerlo a los dos primeros se utiliza el juicio. Velázquez muestra su superioridad cuando prueba que Nieto aspiraba a su puesto de aposentador y por eso lo denunció (págs. 105-108), así como que Nardi lo envidiaba e imitaba (págs. 111-115). La infanta María Teresa lo contrasta con su padre:

> Él ha elegido. Elegid ahora vos [al rey]. Pensadlo bien: es un hombre muy grande el que os mira. [...] Podéis optar por [...] castigar a quien tuvo la osadía de enseñaros que se puede ser fiel a la esposa; podéis seguir adormecido entre aduladores que lo aborrecen porque es íntegro, [...] podéis escandalizaros ante una pintura para ocultar los pecados de Palacio. Podéis castigar a Velázquez... y a vuestra hija, por el delito de haberos hablado, quizá por primera y última vez, como verdaderos amigos. ¡Elegid ahora entre la verdad y la mentira! (Pág. 124).

David, el idealista que sueña con un mundo nuevo y trata de alcanzarlo, es el personaje principal de *El concierto de San Ovidio*. Buero lo contrasta con Valindin y con Nazario. Para él las cosas materiales no valen mucho: cuando sale a tocar el violín para ganarse unas pesetas, prefiere ponerse a soñar despierto. Valindin, por el contrario, vendería hasta a su madre por dinero y no tiene el menor escrúpulo en utilizar a los ciegos en su grotesco espectáculo. Al igual que Laura y Leticia en *Casi un cuento de hadas*, Valindin y David casi invariablemente salen uno después del otro (págs. 23, 52, 53, 75, 76, 83, 92 y 98).

A David también se le contrasta con Nazario, el ciego materialista al cual no le importa rebajarse si con ello va a conseguir algún provecho. Nazario es descrito como "maduro y corpulento" y David como "pálido y delgado" (página 13). Los ciegos salen a tocar por la calle para recoger dinero. El que más recoge el día que comienza la acción de la obra es Nazario: veintidós sueldos; el que menos, David (pág. 14).

David se dirige así a los demás ciegos: "¡Escuchadme! ¡Es nuestra última oportunidad! [...] Aprenderemos esas cinco canciones y seguiremos de hazmerreír por las ferias..., si él consiente en que yo, ¡yo solo! os vaya enseñando acompañamientos a todos. ¡Cuando volvamos en febrero, seremos una verdadera orquesta! ¡Seremos hombres, no los perros sabios en que nos han convertido! ¡Aún es tiempo, hermanos! ¡Ayudadme! *(Un silencio.)* ¡Tú amaste la música, Lucas! ¡Di tú que sí!" (págs. 85-86). Las palabras con que le responde Nazario muestran el vivo contraste entre los dos hombres : "¡Basta! ¡Soy yo ahora quien dice que no! Lo que tú quieres es un sueño, y, además, no me importa. ¡A mí me importa el dinero, y más no nos va a dar, ya lo has oído! Conque déjanos en paz. [...] No lo pienses más. Valindin nos ha atrapado. Pero si no lo hace él, lo habría hecho otro. Estamos para eso" (páginas 86-87). Y un poco antes ha dicho: "Bueno... Podría pensarse..., si el señor Valindin nos pagase más" (página 85).

La actitud pasiva que adopta Nazario contrasta con la activa de David. Durante toda la obra aquél está diciendo "que los cuelguen" (págs. 17, 18, 63, 65), refiriéndose a las personas que, como Valindin, los explotan de un modo o de otro. David mata a Valindin finalmente; Nazario se limita a decir: "¡Si pudiese, les reventaba los ojos a todos! Pero, ¿cómo? Sólo en la oscuridad podríamos con ellos, y el mundo está lleno de luz. [...] ¡Pero a mí nadie me quita el gusto de relamerme pensando en colgarlos uno a uno! [...] Te lo recomiendo. Alivia bastante" (pág. 87).

El soñador y el realista vuelven a trabar combate en *Aventura en lo gris,* que tiene por tema, como hemos visto, los deberes del hombre con la sociedad en que vive. De ahí que se establezca un fuerte contraste entre Silvano, el profesor de historia, y Alejandro, el dictador que utiliza la sociedad en su beneficio. Véase lo que dice aquél a éste: "¿Y quién le dice que yo amo la vida? [...] Ya ve qué curioso: al final hemos venido a enfrentarnos aquí. [...] Porque antes éramos el profesor y el dictador: dos personajes en la farsa del país. Y todavía no sabemos quién le fue más útil y quién más pernicioso; ya le he reconocido antes que yo dudo, y ahora le diré que esa duda no me dejará vivir tranquilo. [...] Y aquí podré quizá demostrarle, y demostrarme a mí mismo, que usted no vale nada a mi lado" (pág. 53). Y a Ana: "Hay una partida emprendida entre él y yo desde hace meses y quiero ganarla" (pág. 56).

Los siguientes parlamentos establecen claramente la diferencia entre los dos hombres:

> ALEJANDRO. *(Sonríe.)* Es usted un ingenuo, Silvano. *(Pasea.)* Pero, aún a riesgo de que me tome usted por el asesino, insistiré en la conveniencia de no averiguar nada. Primero, porque es casi imposible... y después, porque éste no es momento de hacer justicia. Ya no somos nada en el país, y nadie la puede ya resucitar. Lo mejor que podemos hacer todos es olvidar que hubo un asesino [...] Hay que ser prácticos. (Pág. 80).

> SILVANO. Sí. Muerta por un hombre sin escrúpulos, acostumbrado a coger a su paso el dinero, el lujo y las mujeres; un engreído, muy seguro de sus dotes de seducción, a pesar del horror de la muchacha por los hombres; un aprovechado que muerde por última vez en la carne de la patria vencida antes de marcharse. Y, en definitiva, otro enfermo [...] ¡Pero, eso sí, un enfermo muy vital! ¡No un pobre soñador como Carlos, no! Un hombre... de acción, que nunca sueña... y que obra durante el sueño de los demás. (Pág. 91).

El estudio ha mostrado que Buero Vallejo usa el contraste de personajes con profusión y efectividad. Entre ellos, el más importante es el que establece entre el soñador y el realista. Dicho contraste lo hemos visto en nueve de sus obras: *La tejedora de sueños* (Anfino y Ulises y los pretendientes); *La señal que se espera* (Enrique y Luis); *Casi un cuento de hadas* (Riquet y Armando); *Madrugada* (Amalia y Leonor); *Irene o el tesoro* (Irene y Aurelia y Dimas); *Un soñador para un pueblo* (Esquilache y Ensenada); *Las Meninas* (Velázquez y Nieto, Nardi y el rey); *El concierto de San Ovidio* (David y Valindin y Nazario); y *Aventura en lo gris* (Silvano y Alejandro). De la lucha que se entabla, que forma el esqueleto del argumento, surge casi siempre el mensaje o tema de la obra. La calma se restituye generalmente con el sacrificio de alguno de ellos como en el caso de *En la ardiente oscuridad, Irene o el tesoro* y *El concierto de San Ovidio* (o de los dos, como en *Aventura en lo gris*), que puede conducir a la solución metafísica o terrenal de los problemas presentados o cuando menos al logro de una personalidad. Esta incompatibilidad entre el deseo de éxito y la necesidad de felicidad es una paradoja de raíz kierkegaardiana. La piedra fundamental de la filosofía del pensador danés es que, a fin de vivir sinceramente, el hombre debe encontrar sus mejores atributos y orientar sus esfuerzos hacia el mejor logro de los mismos, lo que tiene como corolario que la vida es una especie de misión cuya esencia es la realización plena del individuo, aunque ello implique su sacrificio.

ELEMENTOS FÍSICOS Y AMBIENTADORES

Ya hemos indicado (véase la pág. 26) cómo se oponía Buero Vallejo a que el dramaturgo hiciera uso excesivo de efectos plásticos, por parecerle más propios del cine, que del teatro, arte al fin de la palabra.

Estas opiniones, por venir de un dramaturgo cuyo primer contacto con el arte fue a través de la pintura, y que hasta ha utilizado un famoso cuadro velazqueño (*Las Meninas*) para crear una obra teatral, mueven a pensar que una vez más puede haber diferencia entre la teoría y la práctica de un escritor. En este apartado haremos la descripción y análisis de los recursos físicos utilizados por Buero, así como la de los elementos ambientadores, relacionados con aquéllos por utilizarse su efecto, en general, para impresionar al espectador. Con ello veremos si su práctica se ajusta a su teoría.

En *Historia de una escalera,* el aspecto físico de los vecinos de la casa indica cómo pasa el tiempo. El transcurrido entre el primero y el segundo acto se conoce por las canas de algunos y el cambio en los trajes de todos: "El tiempo transcurrido se advierte en los demás: Paca y Generosa han encanecido mucho. [...] Todos siguen pobremente vestidos, aunque con trajes más modernos" (páginas 32-33). Y Paca nos muestra los veinte años que separan el segundo y tercer acto: "Una viejecita consumida y arrugada, de obesidad malsana y cabellos completamente blancos, desemboca, fatigada, en el primer rellano. Es Paca. Camina lentamente, apoyándose en la barandilla" (página 50).

La obra está llena de escenas típicas que le dan color local, provocando la identificación de los espectadores con el drama y sus personajes, como en el caso de la vecina que no tiene con qué pagar la luz (págs. 11-12).

Otra escena ambientadora es la que se desarrolla entre Paca y Generosa en el primer acto, en que ésta se queja de lo poco que representa el retiro de su marido, como es usual entre personas humildes (pág. 28).

El segundo acto también lo abre una escena típica: la de la familia y amigos regresando de un entierro y comentando el suceso (págs. 33-35).

En *Las palabras en la arena,* Buero no muestra en escena ni el episodio de Cristo ni el de la muerte de Noemí, escenas difíciles de representar con verosimilitud. El primer incidente es contado por la Fenicia, así como por Asaf y sus amigos. Del segundo solamente se oye el grito de Noemí y después se ve a Asaf saliendo muy afectado de la casa para decir lo que Cristo escribió para él en la arena: "asesino".

En la ardiente oscuridad incluye varios elementos físicos usados en función del argumento:

El cambio que se produce en el Centro a causa de la presencia de Ignacio tiene su paralelo en la escenografía. En el primer acto, en que los ciegos están felices y contentos, el decorado da impresión de lozanía:

> Fumadero [...] Las ramas de los copudos árboles que en él hay se abren tras la barandilla, cuajadas de frondoso follaje, que da al ambiente una gozosa claridad submarina. (Pág. 7).

En el segundo acto, en que ya los ciegos están llenos de inquietudes, la escenografía adquiere un tono paralelo con este cambio: "Los árboles del fondo muestran ahora el esqueleto de sus ramas, sólo aquí y allá moteadas de hojas amarillas. En el suelo de la terraza abundan las hojas secas, que el viento trae y lleva" (pág. 33).

La música, por su parte, ayuda a crear una atmósfera adecuada para el asesinato de Ignacio. Cuando Carlos sale tras él hacia el campo de deportes, Pepita pone la radio y la pieza que se oye es "La muerte de Ase", del "Peer Gynt" de Grieg (pág. 69).

Hay en esta obra un recurso físico especial, que se produce cuando en el tercer acto se apagan las luces del teatro para así meter a los espectadores en el mundo de los ciegos (página 63).

El sonido es utilizado para dar una atmósfera adecuada a *La tejedora de sueños*. El comienzo tiene una atmósfera de "impasse", de cosa suspendida, provocado por una especie de "recitativo" en versos de arte mayor, dicho por las esclavas. La acotación pide una "ruda melopea poética sin melodía... [en] voces altas y sonoras" (pág. 8).

En el comienzo del segundo acto, cuando salen Eurímaco y el Extranjero, "la puerta de la derecha rechina" (pág. 31), ayudando a crear una sensación de misterio y tensión para la escena que sigue donde se descubre el secreto de Penélope. Pero antes vuelve a usarse el sonido con la misma función cuando las esclavas "elevan su canto trémulo, a boca cerrada. [...] diríase que expresa expectación" (págs. 44-45).

En el segundo acto las posturas físicas de Penélope y Anfino son detalles caracterizadores, pues ayudan a crear la impresión de que ella es la persona activa mientras que él es totalmente pasivo, imagen que se compagina con las palabras de la mujer: "Y, cavilando, cavilando ahí dentro... Pensando en la necesaria prudencia, en la astucia conveniente para que no le matasen... Y ya que él, tímido y pacífico, no puede luchar contra ellos... Decidí empobrecerme del todo. Y para eso destejo por las noches. Viuda y sin pensar ya en Ulises... *(Anfino se arrodilla y le besa las manos.)* ¡Porque yo no sé razonar! *(Anfino se abraza a sus piernas.)*" (pág. 41).

Y el acto finaliza con un poderoso y sugestivo efecto físico, que indica el papel de vengador de Ulises. "Su figura [la de Ulises] se agiganta. Su silueta es, realmente, la de un temible y vengador arquero" (pág. 53).

La señal que se espera tiene una atmósfera misteriosa, por estar esperando todos los personajes que el arpa eólica emita sus notas. Buero utiliza diversos recursos físicos y ambientadores para crear esta atmósfera. Significativamente, la acción ocurre en algún lugar de Galicia, tierra famosa por sus supersticiones, y continuamente se señala o apunta dónde pasa la acción. Además, la criada Rosenda es gallega, y Julián menciona que se encuentran en un pazo (pág. 16), siendo Galicia el único lugar donde se le llama pazo a una casa de campo.

Enrique y Julián sostienen una conversación, que, además de recordar nuevamente que se encuentran en Galicia, recalca el carácter supersticioso de la gente de la región:

> ENRIQUE. Vamos, siéntate. [...] ¿Bebes? ¿O eres abstemio?
> JULIÁN. Mitad y mitad. [...]
> ENRIQUE. ¿Whisky con seltz?
> JULIÁN. ¿En Galicia?
> ENRIQUE. Precisamente. Para contrarrestar un poco el tono milagroso de estas tierras. [...] Yo hago lo posible por conservar el buen sentido, pero en este país de brujas y consejas no es fácil. (Págs. 18-19).

La hora que elige Buero para la acción —el crepúsculo— corresponde con el tono de la obra, pues sus tres actos se desarrollan al atardecer, cuando se supone que sea la hora propicia para que el arpa suene (págs. 8, 30 y 52).

La tensión es extrema en *Madrugada* pues Amalia tiene sólo unas horas para averiguar si Mauricio realmente la quería. Debe, además, impedir a toda costa que los parientes de su marido se enteren de que ya ha muerto. Buero emplea varios recursos físicos para despertar y mantener la atención del espectador, como el de empezar los dos actos de que consta la escena vacía o cuasi-vacía. En el primero está la enfermera dormitando en un diván (pág. 8) (Escena cuasi-vacía). Así comienza el segundo: "En el salón no hay nadie, y por la entreabierta puerta de la izquierda se filtra la luz del comedor. No tarda en verse interceptada por alguien que se aleja furtivamente de los demás" (pág. 43). Más tarde se queda otra vez desierto para aumentar la tensión del momento en que Dámaso y Lorenzo se disponen, según ellos, a matar a Mauricio, y según los espectadores, a descubrir que ya está muerto (pág. 69).

Otros recursos físicos son los aullidos del perro de Mauricio (pág. 13 y 36), y la luz en penumbra con que comienzan los dos actos, que dan un ambiente de misterio a la pieza.

La escenografía única de *Irene o el tesoro* (págs. 7-8), además de dar color local al ambiente con los grabados que reproducen la rendición de Granada y la conversión del duque de Gandía, y en especial con la placa representando la última cena, empieza a desarrollar por sí misma la exposición de la obra: la ausencia de enseres, como radio, lámparas portátiles, libros, etc., muestra que Dimas no deja tener a su familia cosas que se encuentran en los hogares más humildes.

Algunas escenas están concebidas visualmente, como la primera, que indica los quehaceres domésticos de Irene, amén de simbolizar la continua humillación de que es objeto: "Fregando el suelo de rodillas y con el cubo al lado, Irene. [...] De trapillo y con delantal —un trajecito negro muy pasado—, mal peinada y con el gesto ausente, pasa la bayeta" (pág. 8).

La música se emplea como recurso especial en la escena final del primer acto: la canción que canta Irene aumenta la dulzura del momento en que ve por primera vez a Juanito (pág. 35).

La escenografía y la música son también utilizadas en *Las cartas boca abajo*, esta vez para crear una atmósfera abúlica, de mediocridad. He aquí la descripción:

> Un cuarto de estar, que también cumple funciones de comedor, en un viejo piso. [...] Un aire sutil de abandono, de cansada rutina y trivial desarmonía parece desprenderse de todo. El piso, de madera, no está encerado: las paredes no se repintan desde hace tiempo. [...] Cae la tarde. (Páginas 7-8).

En cuanto a la música, al abrirse el cuadro segundo del primer acto: "Se oye, muy bajito, la radio. Es una musiquilla lánguida, que se filtra por el chaflán" (pág. 31). Poco después: "Comienza a oírse la radio de Anita" (página 41). En la segunda parte vuelve a oírse, manteniéndose como música de fondo durante todo el largo monólogo de Adela (págs. 51, 69-71).

La acción de *Hoy es fiesta* tiene lugar en los tiempos actuales y se ven en ella escenas típicas, llenas de color local, que compenetran al público con la obra, como la de dos mujeres comentando todo lo que pasa en la vecindad (pág. 16). Otra escena similar es la de Paco y Sabas discutiendo sobre el próximo partido de fútbol (pág. 42). Y la única vez que se usa la música es también con propósito ambientador: "Llegan, de muy lejos, las notas de un organillo callejero, que toca un 'chotis' popular" (pág. 65).

En *Las Meninas* es donde muestra Buero más claramente su enfoque visual del drama, debido al empleo de los "tableaux" con que empieza y termina. El primero agrupa las figuras de Martín y Pedro, los dos mendigos que Velázquez habrá pintado dieciséis años antes (pág. 11). Se atrae aquí la atención del público, al proyectar en la escena los protagonistas de los cuadros famosos del sevillano.

El segundo "tableau" está compuesto por los mismos personajes que figuran en el cuadro que da título a la obra: "A la derecha de la galería, hombres y mujeres componen, inmóviles, las actitudes del cuadro inmortal, bajo la luz del montante abierto" (pág. 127). Este "tableau" hace como de síntesis, al reunir ante el público a los personajes de la obra tal como aparecen en el cuadro.

Ya se vio cómo *En la ardiente oscuridad* introduce al espectador en el mundo de los ciegos con un "black-out". Pero en esa ocasión el autor no lo conectó con la acción. En *El concierto de San Ovidio* vuelve a utilizar el recurso, sólo que esta vez el efecto queda mejor logrado, al justificarse el "apagón": Una noche de luna nueva, David espera a Valindin en la barraca y, apagando el único farol, lo mata a bastonazos (págs. 99-103).

Otros recursos físicos de esta obra son los siguientes:

La tribuna en que han de tocar los ciegos ayuda a hacer grotesco el espectáculo: "El trono que sostiene [la plataforma] es la nota más llamativa del conjunto: consiste en un tosco pavo real de pintada madera [...]. Sobre los lomos del estilizado pavo real, a cuyo cuello se fijó asimismo un atril, se sentará el cantor" (pág. 53). La nota patética es aumentada por las togas y cucuruchos que acto seguido se ponen los ciegos (págs. 57-58).

La música es utilizada para hacer aún más patético el espectáculo de la orquesta. Las acotaciones indican que el sonido que producen los ciegos debe provocar una fuerte impresión en el espectador, por la monotonía de la línea melódica única: "Arrancan los instrumentos y comienza a cantar [Gilberto]. Violines, violoncello y cantor dan exactamente el mismo tono: una viva y machacona melodía a toda fuerza, ejecutada con mecánica precisión y sin el menor sentimiento" (pág. 68).

En *Aventura en lo gris* vuelve a utilizarse la escenografía como efecto especial. En el primer acto crea la atmósfera sórdida que en él se respira:

> Es una destartalada habitación con una tosca y sucia mesa alargada en el centro y algunas desvencijadas sillas y taburetes por únicos muebles. [...] En el centro del foro y en el primer término izquierdo, ventanas por las que se ve el campo silencioso y nublado, que comienzan a invadir las sombras del anochecer. [...] El cartel es la única nota viva en el conjunto de pardas y deslucidas maderas, enseres de grises destellos metálicos y deterioradas paredes también grises. (Pág. 9).

La escenografía del segundo acto, por su parte, sirve para darle un tono fantástico:

> La mesa del centro parece ahora un túmulo, cubierto por un amplio tapete, y se ha desplazado hacia el lateral izquierdo. [...] Por las dos ventanas, convertidas en amplios huecos ruinosos y sin forma, se divisa un indeciso panorama submarino donde se insinúan vagas formas de corales, algas y medusas que se mecen lentamente. (Pág. 60).

En el tercer acto vuelve el decorado del primero, con una acotación significativa: "De nuevo la sórdida realidad del albergue" (pág. 74).

La música es utilizada para ambientar el segundo acto. La pieza usada al efecto es la de "Sirenas" de Debussy, que concuerda con el "indeciso panorama submarino" de la escenografía. La música se mantiene como fondo musical durante casi todo el acto (pág. 71).

El análisis de los elementos físicos y ambientadores ha confirmado que nuestras sospechas eran fundadas: Buero Vallejo no solamente presta gran atención a elementos físicos de toda clase, sino que tiene un enfoque netamente escénico del drama. Sus acotaciones sobre la escenografía, el vestuario, las luces, el sonido, etc., así como su preocupación por ambientar adecuadamente sus obras muestran palpablemente que están concebidas como creaciones fundamentalmente plásticas [8]. Aunque el diálogo tiene mucha importancia en sus obras, éstas no serían entendidas a cabalidad de ser solamente "leídas", pues su teatro consiste en el arte de combinar armoniosa y artísticamente imagen, palabra y sonido.

---

[8] Buero nos ha expresado que hoy "matizaría" mucho estas opiniones sobre el uso de elementos plásticos en el teatro.

Capítulo V

CONCLUSIONES

Según Buero, la tragedia debe conducir al espectador a un estado de profunda preocupación por los problemas del hombre y su existencia. Es un teatro de carácter ético porque "es la forma más auténtica para conmover [...] al espectador [...] para interesarle por el insondable dolor humano" (véase la pág. 19). Se ha visto en todas sus obras el intento por crear un espectáculo que conmueva al espectador, que lo atraiga a la acción de la obra y a su problemática. Se ve, por ejemplo, en el apagón del tercer acto de *En la ardiente oscuridad*, donde se trata de enseñar al público lo que significa carecer del sentido de la vista; así como en la escena final, donde se muestra a Carlos, impregnado de las ideas de Ignacio, repitiendo sus mismas palabras frente a la ventana donde lucen las estrellas, simbolizadoras de ese mundo metafísico que anhelaba el rebelde. En *Las cartas boca abajo* se logra por medio de la algarabía de los pájaros, que Adela creía de gozo y era en realidad de terror. Su vida será ahora la de estos pájaros, o acaso peor, porque para ella quizá no haya nunca sol otra vez. La muerte de Silvano y Ana cumple esta función en *Aventura en lo gris*[1].

Buero califica de "substratos conceptuales y emotivos de la tragedia" la obra de algunos autores existencialistas modernos, debido a que son demasiado pesimistas y niegan todo sentido al mundo. La finalidad de la tragedia no es mostrar el absurdo del mundo, sino tratar de encontrar una razón para su existencia (véanse las págs. 19-20). Para Buero, precisamente la esencia de la tragedia es la esperanza (véase la pág. 21), aunque lo que se anhele sea inalcanzable, como dice en sus comentarios a *Hoy es fiesta*[2]. Se ha visto que en sus obras la esperanza juega un papel importantísimo e incluso es el tema principal de dos de ellas: *La señal que se espera* y *Hoy es fiesta* (véanse las págs. 39-44). Pero también es elemento de importancia en el resto de sus piezas. Véanse estos ejemplos: la tragedia de Ignacio, el ciego de *En la ardiente oscuridad*, es que no quiere abandonar la esperanza de que haya un mundo mejor, sin estas tinieblas que no lo dejan ser feliz. David, el ciego de *El concierto de San Ovidio*, acepta la ceguera como un mal sin remedio, pero quiere luchar para mejorar el estado de los ciegos, no se conforma con una cama y un pedazo de pan. Confía en que puedan aprender un oficio, así como a ganar su sustento sin tener que rebajarse. Irene, en *Irene o el tesoro*, cree en un mundo mara-

[1] El intento se observa en las demás obras. Véanse estos ejemplos: En *La tejedora de sueños* se produce con la muerte de Anfino, el personaje puro, el único al que no domina el egoísmo. En *Hoy es fiesta* la escena conmovedora es la muerte de Pilar. En *El concierto de San Ovidio* cumplen esta misión la música y letra de lo que tocan los ciegos, y la forma en que lo hacen; el ruido de bastones tanteando el suelo: y el ciego meningítico creyéndose rey y montando sobre un pavo real, símbolo de la necedad.

[2] "Comentario" a *Hoy es fiesta*, 1.ª ed., Colección Teatro n.º 176 (Madrid, 1957), págs. 101-102.

villoso donde todo es color de rosa. Pedro, en *Las Meninas,* lucha contra todos los obstáculos que se le presentan porque tiene fe en que puedan encontrar solución los problemas del hombre, etc.

De acuerdo con Buero, la tragedia ha tratado siempre de demostrar que los sufrimientos del hombre son producto de sus errores (véanse las págs. 18-19). En casi todas sus obras puede verse al héroe o personaje principal sufriendo las consecuencias de su actuación y en todas ellas le ocurren infortunios a algún personaje debidos a sus propios errores. Si Velázquez, por ejemplo, en *Las Meninas,* se hubiera decidido a decir la verdad al rey, quizás hubiera podido proporcionar a Pedro una vejez confortable. Debido a su mutismo tiene ahora que pensar con dolor en su muerte. Donato, en *El concierto de San Ovidio,* ha de arrastrar consigo el remordimiento de lo que le hizo a David. Por eso se pasa el tiempo tocando el Concierto de Corelli, el mismo que tocaba su compañero. Silverio, en *Hoy es fiesta,* ya no sabrá jamás si Pilar lo perdonó, debido a que se decidió a hablar demasiado tarde. Y su vida matrimonial no fue feliz porque no se atrevió nunca a reconocer sus faltas [3].

---

3 La culpa de que ni Fernando ni Urbano progresen, en *Historia de una escalera,* la tienen ellos mismos que no hacen nada por superarse. Asaf, en *Las palabras en la arena,* mata a su mujer con sus propias manos al tener que actuar de acuerdo con su inflexible y dura idea de la justicia. Carlos, en *En la ardiente oscuridad,* tiene que cargar ahora con la inquietud de su víctima. Penélope no se decidió a actuar y ahora tiene que vivir sin su Anfino; y Ulises hubiera podido quizás ganar o recobrar a su mujer si se hubiera atrevido a regresar sin subterfugios, pero por su falta de fe tendrá que llevar el peso de su vejez sin tener el cariño de su mujer, solamente su desprecio. En *Irene o el tesoro,* Dimas es internado en un sanatorio debido a lo mal que trató, tanto a Méndez, su socio, como a Justina, su mujer. En *Casi un cuento de hadas* Leticia tiene que pagar el no haber conservado el recuerdo de Riquet. En *Las cartas boca*

Buero cita tres elementos técnicos como fundamentales de la tragedia antigua que también tienen una importancia grande en la tragedia moderna (véase la pág. 25). Dos de dichos elementos —la música y el coro— han sido utilizados por él mismo en sus obras. (No ha empleado las máscaras. Lo más cercano a ello es el uso de un personaje con dos cuerpos en *Casi un cuento de hadas,* en que aparecen Riquet el bello y Riquet el feo. Este último podría interpretarlo un actor que usase máscara.)

La música la emplea con profusión. Así, dentro de *En la ardiente oscuridad,* donde la pieza que se oye un momento antes de la muerte de Ignacio es "La muerte de Ase", del "Peer Gynt" de Grieg (véase la pág. 109). En *El concierto de San Ovidio* es utilizada con el doble propósito de representar el ideal de David (y posteriormente el remordimiento de Donato) y para aumentar el patetismo de la orquestina de ciegos. En *Las cartas boca abajo* ayuda a dar tono a la obra. En *Irene o el tesoro* ayuda a ambientarla, a darle sabor local, además de simbolizar los sueños de Irene. En *La señal que se espera* es un elemento fundamental: todos esperan que el arpa eólica toque la melodía de Luis. En *Casi un cuento de hadas* sirve para identificar a Riquet. En *Las Meninas* coloca la obra en una época determinada, así como en *Un soñador para un pueblo,* aunque en ésta también ayuda a aumentar el patetismo de la escena final por el contraste entre la figura de Esquilache, derrotado como gobernante y destinado a ir solo al exilio,

abajo Adela es la víctima de sus propios manejos. En *La señal que se espera* la falta de fe de Enrique casi provoca el rompimiento de su matrimonio con Susana, mujer que verdaderamente lo amaba; y Luis no podía componer porque no quería reconocer que fue Susana quien lo dejó. En *Madrugada,* ni Leandro ni Lorenzo heredan nada por haber hablado mal de Amalia. En *Aventura en lo gris* Silvano se decidió a hacer algo cuando ya era muy tarde, y muere a manos de las fuerzas invasoras.

y la música que se oye, que es el "Concierto de Primavera" de Vivaldi.

El coro también es usado por Buero, aunque no con tanta profusión como la música. Lo vemos en *El concierto de San Ovidio* y *En la ardiente oscuridad* en los grupos de ciegos y en *La tejedora de sueños* en el coro de esclavas. En otras obras se ven grupos de personas que pueden ser consideradas como coros, como en *Un soñador para un pueblo* (los amotinados); *Aventura en lo gris* (los soldados); *Madrugada* (los parientes de Mauricio); y *Hoy es fiesta* (los vecinos contrastantes con las figuras de Silverio y Pilar).

Pero no todo en estas obras se ajusta a la teoría explicada. En 1954, en sus "Comentarios" a *Madrugada,* dijo Buero que la estructura concentrada era la más propia para el teatro, y que la episódica era la más propia para el cine. El teatro, para él, cometía un error en imitar y usar técnicas del cinematógrafo. Rechazó, además, en este ensayo, y en otro de 1953, el uso extremado de elementos plásticos, los cuales debían ser utilizados nada más que por el cine (véanse las págs. 25-26). En lo que respecta a esto último, se ha visto en el análisis de la técnica dramática la importancia que presta a los elementos plásticos. En lo que respecta a lo primero, todas las obras que Buero escribió antes de *Un soñador para un pueblo* se ajustaron a su teoría, ya que fueron de estructura concentrada, con la acción llevándose a cabo en un solo lugar (con excepción de *En la ardiente oscuridad,* que transcurre en dos salones distintos del Centro para ciegos). Pero en *Un soñador para un pueblo* cambió su técnica. Esta obra, y las dos que le siguen, tienen en común el uso de la estructura episódica y el que están basadas en hechos o personajes históricos.

Buero, además, con su concepto ético-filosófico de la tragedia, ha usado en sus últimas obras incidentes históricos de carácter aleccionador. Esquilache, Velázquez, Haüy, son hombres que se superaron al sufrir una catarsis. Mostrando su ejemplo a los hombres, el dramaturgo busca la superación espiritual de los mismos. Por eso *El concierto de San Ovidio* tiene como subtítulo "Parábola en tres actos", porque enseña que aun de un acto cruel e inhumano puede surgir algo de provecho. Lo que hizo Buero fue encontrar un hecho histórico aleccionador para el hombre y construir la tragedia alrededor del mismo. Esto se comprueba si se observa la escena final, de carácter anticlimático, pero que hace patente el efecto catártico, y en definitiva beneficioso para los ciegos, que produjo el espectáculo de la orquestina en Valentín Haüy.

Ahora bien —aparte de que el mismo Buero dijo posteriormente, en 1958, que lo esencial en la tragedia era el fondo y no la forma (véase la pág. 18)—, si parece haber aquí contradicción entre teoría y práctica, y que se ha producido una evolución en su dramática, no es menos cierto que esta concepción ético-estética (que se ve más marcadamente en las cuatro últimas obras) la vemos en todo su teatro, y está de acuerdo con tu teoría de que éste es un vehículo único y especial de conocimiento (véanse las páginas 23-24). Buero dijo, refiriéndose a la catarsis, que ésta se produce "por directa impresión estética y no discursiva" (véase la pág. 18), y que provoca un ennoblecimiento o perfeccionamiento espiritual (véanse las págs. 18-19). O sea, que la catarsis, producida por un medio estético, conduce a un perfeccionamiento ético. Este concepto es en cierta forma muy viejo; se encuentra, por ejemplo, en la *Epístola a los Pisones* de Horacio. Pero aquí está expresado de distinta manera, pues Buero habla de influencia directa meramente estética y no basada en el raciocinio o pensamiento lógico. Como él dice: "La tragedia [...] es [...] una aproximación positiva a la intuición del complicadísimo orden moral del mundo. Pero este orden es misterioso; en última instancia encierra una metafísica no formulada" (véase la pág. 20). Además, el vehículo de expresión es completamente autóctono, único, la impresión en que se basa está lograda solamente en el teatro.

Este didactismo estético, este intento de enseñar por medio de arte puede verse con claridad en el "tableau" final de *Las Meninas*. Allí es más obvia la intención de mezclar la estética con la ética, al utilizar una pintura tan "estéticamente" famosa como "Las Meninas" y provocar que el público relacione los sucesos aleccionadores de la obra con la visión del cuadro. La lección histórica, o tomada parcialmente de la historia, será recordada cada vez que se admire el cuadro.

La mezcla se ve igualmente en *El concierto de San Ovidio*, pero el procedimiento es inverso: a esta obra se le quiere dar forma pictórica; en ella se trata de producir una impresión estética por medio de una escena esencialmente ética: Valentín Haüy recordando su vida y cómo lo hizo cambiar la orquesta de ciegos (espectáculo a su vez no estético, sino grotesco, patético).

La misma intención de dar a un suceso doloroso impacto emocional, y en definitiva, estatura o nivel estético, se ha visto en otras obras de Buero (aunque no tan claramente), como en *Un soñador para un pueblo*, en que se ve a Esquilache grande en su derrota; en *Aventura en lo gris*, en que mueren Silvano y Ana sin temor a la muerte y orgullosos del deber cumplido; en *Hoy es fiesta*, con Silverio llorando sobre el regazo de Pilar; en *Casi un cuento de hadas*, con Leticia besando a Riquet tiernamente pero sin amor; en *La tejedora de sueños* se produce el efecto con las palabras irónicas del coro; en *Irene o el tesoro* se ve en la letra de la canción que canta Irene; en *Las cartas boca abajo* con el monólogo de Adela, condenada a vivir sola, donde compara a Anita con un ave rapaz que la tiene en sus manos; en *En la ardiente oscuridad,* con la figura de Carlos frente a la ventana repitiendo amargamente las palabras de Ignacio; en *Madrugada,* con la escena donde Amalia dice con suma tristeza: "Mauricio..., Mauricio", cuando, ya conocedora de la verdad, nada puede hacerle recobrar al muerto (pág. 79).

Es decir, que Buero toma el episodio aleccionador y le da categoría estética, como en *Un soñador para un pueblo* y en *Aventura en lo gris*; o toma el elemento estético, como en *Las Meninas,* y le da categoría ética.

La preocupación por los problemas del hombre, ya sea considerado como individuo o en relación con los demás seres humanos, la hemos visto en todas las obras. En *Un soñador para un pueblo, Las Meninas* y *Aventura en lo gris* es la relación entre el hombre y la sociedad. En *El concierto de San Ovidio* y en *Historia de una escalera* es el individuo tratando de encontrarse a sí mismo. En *Las palabras en la arena* el conflicto se relaciona con la justicia del hombre. En *La tejedora de sueños, Irene o el tesoro* y *En la ardiente oscuridad* es la idea de que quizás no pueda encontrarse la felicidad en este mundo. En *Casi un cuento de hadas* es la capacidad de una pareja para afrontar un futuro incierto, nebuloso. En *Las cartas boca abajo* es la consecuencia de la falta de comunicación. En *La señal que se espera,* así como en *Hoy es fiesta,* es la virtud de la fe —las consecuencias beneficiosas de tenerla y las perniciosas de carecer de ella—. En *Madrugada* lo que se ve es el resultado de la envidia.

La inmensa mayoría de los recursos técnicos estudiados son utilizados por Buero para presentar el tema y argumento de las piezas. Sirven asimismo para crear el impacto dramático que, según él, es necesario para que se produzca una purificación en el espectador, debido a la impresión traumática recibida. Véanse los siguientes ejemplos:

En *La tejedora de sueños* el símbolo y la ironía del tejer-destejer de Penélope tangibilizan su conflicto interno. En *Las palabras en la arena* el contraste de personajes establece su tema: la diferencia en la concepción sobre las relaciones hombre-mujer entre el Antiguo y el Nuevo Testamento; y con la ironía se aumenta el impacto de lo que le sucede a Asaf. En *Madrugada* el juego simbólico de la oscuridad y la luz corporeiza la lucha de Amalia por encontrar la verdad. El conflicto ideológico entre Silvano y Goldman sobre los deberes del hombre con la sociedad, tema de *Aventura en lo gris,* se hace patente por medio del contraste de personajes; y la ironía pone énfasis en el sacrificio ejemplarizador de Silvano y Ana. Y el "tableau" del final de *Las Meninas* vincula el cuadro famoso con el argumento de la pieza y con su mensaje.

Buero es un escritor serio que trata de encontrar solución a problemas filosóficos del hombre. Sus obras no son meros juguetes dramáticos encaminados a entretener al espectador. Profundas en pensamiento y llenas de preocupaciones filosóficas, presentan los problemas del hombre moderno, así como sus posibles causas y soluciones. Pero no por eso abandona factores y miras estéticos, sino que, por el contrario, utiliza los temas y toda la gama de recursos técnicos que hemos estudiado para mezclar elementos estéticos y éticos, tratando de conseguir, al fusionarlos en la creación artística, una nueva manera de llegar a la verdad, de encontrar una razón metafísica al mundo. En eso consiste la esencia del arte dramático de Antonio Buero Vallejo.

ÍNDICE GENERAL